Beck'sche Reihe
BsR 618
Autorenbücher

Jens Peter Jacobsen (1847–1885) hat auf das frühe Werk deutscher Autoren der Moderne um 1900 – Thomas Mann, Rilke, Gottfried Benn u. a. – eine erstaunliche Wirkung ausgeübt. Mit dem jung verstorbenen Dichter wurde ein förmlicher Kult getrieben, seine literarische Kunst von Malern und Dichtern gleichermaßen bewundert. Die Phantasie und poetische Sensibilität seiner Gedichte, die psychologische Genauigkeit und verfeinerte Sprachkunst seiner Erzählungen und seiner beiden Romane „Frau Marie Grubbe" sowie „Niels Lyhne" machten ihn berühmt. Die Jacobsen-Mode der Jahrhundertwende ließ den dänischen Dichter im Kontext der europäischen Décadence und des Ästhetizismus erscheinen. Bengt Algot Sørensen, ein vorzüglicher Kenner vor allem auch der deutschen Literatur, räumt in dieser Monographie, der ersten Jacobsen-Monographie in deutscher Sprache, mit den gängigen Vorurteilen auf und bietet stattdessen ein ursprünglicheres, historisch fundiertes Bild des Dänen Jacobsen, dessen vielschichtiges Werk sich in der Spannung zwischen Naturalismus und Symbolismus, Atheismus und Naturmystik, Lebenslust und Lebensangst entfaltet.

Bengt Algot Sørensen, geb. 1927, ist Professor für Deutsche Literaturwissenschaft an der Universität Odense. Er hat zahlreiche Aufsätze zur deutschen und dänischen Literatur, sowie ein Werk über ‚Symbol und Symbolismus' (1963) veröffentlicht. Bei C. H. Beck erschien 1983: ‚Herrschaft und Zärtlichkeit. Der Patriarchalismus und das Drama des 18. Jahrhunderts'.

BENGT ALGOT SØRENSEN 8,—

J. P. Jacobsen

VERLAG C.H.BECK MÜNCHEN

Mit acht Abbildungen

CIP-Titelaufnahme der Deutschen Bibliothek

Sørensen, Bengt Algot:
J. P. Jacobsen / Bengt Algot Sørensen. – Orig.-Ausg. –
München : Beck, 1991
(Beck'sche Reihe ; 618 : Autorenbücher)
ISBN 3-406-33165-3

NE: GT

Originalausgabe
ISBN 3 406 33165 3

Einbandentwurf: Uwe Göbel, München
Umschlagabbildung: Jens Peter Jacobsen.
Gemälde von Ernst Josephson, 1879
Abdruck der Illustrationen von Heinrich Vogeler
mit Genehmigung des Eugen Diederichs Verlags

Gesamtherstellung: Georg Appl, Wemding
Printed in Germany

Inhalt

Porträt Jacobsens von Wilhelm Müller-Schoenefeld mit einer für den Jugendstil typischen vegetativ-ornamentalen Umrahmung

Vorwort

Dieses Buch wurde in erster Linie aus einem wissenschaftlichen und sympathetischen Interesse für seinen Gegenstand geschrieben. Hinzu kam allerdings auch, daß es bisher keine Monographie in deutscher Sprache über Jacobsen gab, obwohl er, wie aus dem Rezeptionskapitel hervorgeht, in den deutschsprachigen Teilen Europas eine glorreiche Vergangenheit hat und dort auch immer noch gedruckt wird.

Dieser Band versteht sich als Einführung in das Werk Jacobsens; er bietet gleichwohl auch neue Forschungsergebnisse, ohne daß dies im Text ausdrücklich erwähnt wird. Das Buch nimmt Rücksicht auf ein Publikum, dem die hier dargelegten dänischen Voraussetzungen Jacobsens nicht vertraut sind. Ohne sie zu kennen, ist ein historisch gerechtes Verständnis dieses Autors aber kaum möglich, denn er hatte bei aller Modernität tiefe Wurzeln in der Kultur und Tradition seines Landes. Auf der anderen Seite wird Jacobsen hier auch in einem europäischen Kontext gesehen. Beide Aspekte, der nationale und der europäische, haben bei der Niederschrift eine wichtige Rolle gespielt und scheinen sich eher zu ergänzen als zu widersprechen.

Die in Klammern angeführten Quellenhinweise beziehen sich auf die fünfbändige, von Morten Borup herausgegebene Ausgabe ‚Samlede Værker', Kopenhagen 1924–29. Römische Ziffern bezeichnen die Bandzahl, arabische die Seitenzahl. Die zitierten Briefe finden sich meistenteils in Band V und VI der 1974 von Frederik Nielsen herausgegebenen „Samlede Værker". Sämtliche Jacobsen-Zitate in diesem Buch sind vom Verfasser ins Deutsche übersetzt. Damit hat es folgende Bewandtnis: Als sich um die Jahrhundertwende Jacobsens Ruhm in Deutschland und Österreich seinem Höhepunkt näherte, waren mehrere Übersetzer(innen) an der Übertragung seiner Werke ins Deutsche tätig, darunter Marie v. Borch, Mathilde Mann, Marie Herzfeld u. a. Ohne hier auf Einzelheiten der mit diesen Übersetzungen verbundenen Problematik (vgl. S. 50 f., 72 f. und 109) einzugehen, läßt sich zusammenfassend feststellen, daß in ihnen die Tendenz spürbar ist, Jacobsen dem Geist der damaligen Zeit (Neuromantik, Jugendstil u. ä.) anzupassen. Der Jacobsen, der uns in diesen Übersetzungen entgegentritt, ist deshalb oft „romantischer", schwärmerischer, pathetischer als der Jacobsen des dänischen Originaltextes. Sie haben dem damaligen Ruhm Jacobsens zunächst nicht geschadet, im Gegenteil. Da sie aber immer noch nachgedruckt oder höchstens „neu bearbeitet" werden, sind sie heute zu einem Problem geworden. So habe ich es vorgezogen, die Zitate selbst zu übersetzen in der Hoffnung, der Eigenart des Originaltextes etwas näher zu kommen, so wie ich mich überhaupt bemüht habe, Jacobsen ursprünglicher und historischer zu porträtieren, als er in der europäischen Rezeption gewöhnlich erscheint.

Der dänischen Carlsberg-Stiftung, durch deren finanzielle Unterstützung ich während des akademischen Jahres 1988–89 von meinen Lehrverpflichtungen entlastet wurde, sei hier mein herzlicher Dank ausgesprochen.

Kindheit in Thisted 1847–1863

Im nordwestlichen Jütland auf dem südlichen Abhang eines Moränenhügels am westlichen Ende des Limfjord liegt die Stadt Thisted. Seit alters her war sie ein für die Region wichtiger Umschlagplatz, von dem aus im 19. Jahrhundert landwirtschaftliche Produkte nach Norwegen und England per Schiff exportiert wurden. Als 1840 der Hafen von Thisted angelegt wurde, zogen viele Schiffer von der nur 20–30 km davon entfernten Nordseeküste in die Stadt, darunter auch im Jahre 1842 Chresten Jacobsen (1813–1897), der Vater des Dichters. Anläßlich seiner Eheschließung mit Bente Marie Hundahl (1815–1898) im Jahre 1844 ließ er sich im Kirchenbuch als „Schiffer von Thisted" eintragen und wies sich der damaligen Sitte gemäß auch durch Ohrringe als Mann des Meeres aus. Später hat er seinen Beruf als Kaufmann angegeben, als er die Schiffe nicht mehr selber fuhr und sich stattdessen dem Handel, der Landwirtschaft und verschiedenen handwerklichen Unternehmungen widmete. Chresten Jacobsen zeichnete sich vor allem durch rastlose Arbeitsamkeit aus; seine Bildung war beschränkt, und der Sohn Jens Peter mußte ihm bei der Orthographie oft behilflich sein. Er wurde allmählich recht wohlhabend, wußte auch den Wert des mühsam verdienten Geldes zu schätzen; das bekam der Sohn zu spüren, als er auf Kosten des Vaters in Kopenhagen studierte. – In der Jacobsen-Forschung wird die Gestalt der Mutter hie und da idealisiert, was sie nicht nötig hat; sie war, was man eine einfache Frau nennt, ohne jede bürgerliche Bildung, nüchtern, gelegentlich ironisch, ja sarkastisch, vor allem aber hatte sie viel Sinn für die Sensibilität und Eigenart des geliebten Sohnes. „Ja, lieber Peter", schrieb sie beispielsweise in einem Brief (vom 8. 1. 1868), mit dem sie dem Sohn für ein von ihm verfaßtes Weihnachtsgedicht dankte, „ich weiß noch, wie Du klein warst, und wie Deine kindliche Liebe zu mir manche dunkle und kummervolle Stunde verjagte. Du warst der Älteste und spürtest deutlicher als die anderen, was um Dich geschah."

Nach der Mutter stand ihm der jüngere Bruder William am nächsten. Das wahrhaft brüderliche Verhältnis blieb zeitlebens erhalten, obwohl der landwirtschaftlich tätige William dem Bruder kein intellektueller Partner sein konnte. Nach einem Besuch bei der Familie Jacobsen in Thisted schrieb der Dichterkollege Holger Drachmann im November 1880: „Ich erinnere mich nicht, jemals einen so schönen Ausdruck der Bruderliebe gesehen zu haben wie den, dessen Zeuge ich während meines kurzen Aufenthaltes bei Dir und Deinem agrarischen Bruder war." Von den Gefühlen des im Leben durch und durch unsentimentalen Jacobsen seiner Familie gegenüber legen die folgenden Zeilen an den norwegischen Freund Alexander Kielland vom 13. März 1885, also nur anderthalb Monate vor Jacobsens Tod, ein charakteristisches Zeugnis ab. Nachdem der todkranke Mann seinen Zustand beschrieben hat, heißt es: „Glaube nun aber nicht, daß ich hier liege und mißmutig bin; ich fühle mich wohl bei Vater und Mutter und Geschwistern, und mein prächtiger Bruder sorgt für mich Tag und Nacht und macht es mir leicht zu leben und zu hoffen."

Als Kind war Jens Peter Jacobsen ein lebensfroher, aufgeweckter Junge, der sich gern am Hafen und am Strand aufhielt oder in der hügeligen Landschaft um Thisted spielte. In der Schule zeichnete er sich vor allem durch sportliche Geschicklichkeit aus – Turnen war sein bestes Fach. Daß er mit einem Sprung sechs nebeneinanderstehende Gartenstühle überspringen konnte, machte natürlich Eindruck. Sonst scheint er sich nur in zweifacher Hinsicht von seiner Umgebung unterschieden zu haben: Er schrieb Verse und hatte überdies ausgesprochen botanische Interessen. Einige seiner Gedichte finden sich noch heute im handschriftlichen Nachlaß; sie sind zwar nicht gut, lassen aber thematisch die Liebe zur Familie (‚Juleaften' 1860), die Freude am Leben im Freien, etwa beim Schlittschuhlaufen, und überdies eine ausgesprochene Vorliebe für burleske und witzige Parodien erkennen. Die Anregung zur literarischen Tätigkeit gewann Jacobsen nicht im Elternhaus, sondern eher bei der benachbarten Witwe eines Arztes, Jensine Michelsen, die Jens Peter und andere Kinder regelmäßig zum Vorlesen aus den Werken von Oehlenschlæger, Dickens, Charlotte Brontë u. a. einlud. Zwischen der Tochter dieser Dame, Anna Michelsen, und Jacobsen entstand schon in den Thisteder Jahren eine enge Freundschaft, die sich auch in den ersten Kopenhagener Jahren fortsetzte, da Frau Michelsen 1865 mit ihren Kindern nach Kopenhagen zog, wo ihr Haus eine Art literarischen Salon bildete. Allmählich wurde daraus sicher mehr als eine Freundschaft. Jacobsen, der ein großer Verhüller war, hat sich aber darüber beharrlich ausgeschwiegen. Wahrscheinlich ist, daß Anna ihn liebte, während er sich unentschlossen zurückhielt. In einer kleinen hingeworfenen Notiz vergleicht Jacobsen sein Verhältnis zu Anna mit dem Kierkegaards zu Regine Olsen. Das Mädchen war träumerisch veranlagt, verfing sich immer mehr in religiösen Schwärmereien und endete im Wahnsinn. Ein gewisses Schuldgefühl läßt sich bei Jacobsen ahnen, ohne daß wir etwas Genaueres darüber wissen.

Neben der „literarischen" Tätigkeit dieser Jahre fällt, wie gesagt, das leidenschaftliche botanische Interesse des Jungen auf. Die Einführung der Botanik als Schulfach im Jahre 1859 in der Thisteder Realschule war sicher eine bedeutende Voraussetzung für diese Neigung. Mit gleichgesinnten Freunden durchstöberte Jacobsen die Umgebung Thisteds auf der Suche nach seltenen Pflanzen; über diese Entdeckungen gibt es u. a. ein kleines Notizbuch mit der Überschrift ‚Silstrups mærkeligste Planter. Et botanisk Vink' (Silstrups merkwürdigste Pflanzen. Ein botanischer Wink) aus dem Jahre 1863. Diese doppelte Neigung zu Botanik und Literatur bestimmte Jacobsens Leben und seine Aktivitäten in den folgenden Jahren. Ob er dem einen oder dem anderen den Vorzug geben sollte, blieb ihm lange unklar, und so betrieb er mit Energie und Erfolg beides, bis sich durch den Ausbruch einer Tuberkulose im Jahre 1872 eine endgültige Wahl erübrigte.

Jacobsen hat in Thisted nicht nur glückliche Jahre der Kindheit verbracht; er blieb, wie seine Briefe zu erkennen geben, auch später dem einfachen Leben dort verbunden. So fragte er beispielsweise am 11. Oktober 1877 aus Montreux die Eltern nach dem Gedeihen der Selleriepflanzen, der Pastinake und der roten Beeten. Charakteristisch ist auch die folgende Mahnung an die Mutter: „Die Blume mit den roten Blättern soll, wenn sie die Blätter verloren hat, aus dem Topf genommen und der Ballen an einem trockenen und warmen Ort aufbewahrt werden . . . Wie stehen die Cinerarien?" In einem Brief aus Capri gesteht er dem Freund Edvard Brandes – der übrigens nicht viel Verständnis für Jacobsens Vorliebe für Thisted zeigte und ihn dort nie besuchte –: „Ich sehne mich erst nach Rom, namentlich aber nach Thisted." In den langen Jahren der Krankheit wurde ihm Thisted zum Zufluchtsort, zeitweilig sicherlich auch zum Ort der Verbannung, da es ihm dort völlig am Umgang mit Intellektuellen und literarisch Gleichgesinnten fehlte.

Für Jacobsens Lebensgefühl und Selbstverständnis sind diese Kindheitsjahre und die lebenslange Bindung an Eltern und Geschwister von kaum zu überschätzender Bedeutung gewesen. Eine Andeutung davon enthält der Brief vom 2. Januar 1881 an den Jugendfreund Vodskov: „Ich fühle mich mit meiner Vergangenheit, nicht nur mit jenen jungen Tagen, sondern auch mit meinen Kindheitsjahren so unendlich solidarisch, daß ich das Gefühl habe, in mir sei immer noch der Junge lebendig, nicht als Erinnerung an etwas Vergangenes, sondern als etwas was ich immer noch bin."

Studienjahre in Kopenhagen 1863–1873

Im Sommer 1863 fuhr der 16jährige Jens Peter Jacobsen nach Kopenhagen, um sich auf einem Privatgymnasium für die Reifeprüfung vorzubereiten, die man in Thisted wie in so vielen anderen dänischen Provinzstädtchen der damaligen Zeit nicht ablegen konnte. Dahinter stand die feste Absicht des Jungen, nach dem Abitur an der Universität Kopenhagen, damals der einzigen Universität des Landes, Botanik zu studieren. Die Reise von Thisted nach Kopenhagen dauerte damals ungefähr 19 Stunden, denn man mußte ständig von Dampffähren auf Eisenbahnen und Kutschen umsteigen. Größer als der geographische war allerdings der geistige und kulturelle Abstand. Kopenhagen war nicht nur die Hauptstadt, sondern – mehr noch als heute – das unbestrittene wirtschaftliche, politische und kulturelle Zentrum des Landes. Für den eingeborenen Kopenhagener war Thisted ebenso entlegen und unbekannt wie ein Dorf in Sibirien; das kann man auch hie und da aus den Briefen der Brüder Brandes an ihren Freund Jacobsen heraushören.

Die Begegnung mit Kopenhagen hat auf den 16jährigen Jungen aus Thisted zweifellos wie ein Kulturschock gewirkt. Im Vorwort der von ihm herausgegebenen Briefe Jacobsens schreibt Edvard Brandes: „Wer aus einem dürftigen Elternhaus der Provinz in eine Hauptstadt kommt, in der das Café seinen natürlichen Zufluchtsort bildet, wird leicht schüchtern und unbeholfen. Erziehung und gute Bedingungen haben ihm nicht die Sicherheit verliehen, die die Gesellschaftlichkeit selbst in kleinen Formen verlangt ... Jacobsen war in diesen jungen Jahren verlegen wie ein Provinzstudent – widersinnig und unüberwindlich verlegen ... Für ihn war der Eintritt in eine Stube ein Leiden: er errötete und erblaßte, fiel über seine langen Beine und rettete sich möglichst schnell in einen Winkel, von dem aus er das Geschehen beobachten konnte." Als Schutzwehr gegen den überwältigenden Eindruck der neuen Umgebung scheint er sich seines früh entwickelten Witzes und trockenen Humors bedient zu haben, der in den Briefen an die Freunde oft einen etwas burschikosen Anstrich hat.

Wie in Thisted interessierten ihn auch in Kopenhagen die Schularbeiten nur mäßig. Sein Mitschüler am Privatgymnasium, der spätere Schriftsteller Erik Skram, berichtet über Jacobsen um 1895–96: „Wir wußten von ihm, daß er früh und spät in den Festungsgräben lag und Algen fischte, und niemand erwartete, daß er seinen Virgil oder Homer übersetzen konnte. Er wollte ja nur wegen der Naturstudien Student werden." Das Ergebnis war denn auch, daß er bei der Reifeprüfung 1866 durchfiel und sich erst im folgenden Jahr als Student der Botanik an der Universität immatrikulieren lassen konnte.

Mit dem Beginn des Universitätsstudiums fing in Jacobsens Leben eine neue Epoche an. Mit Begeisterung und Leidenschaft warf er sich über das Studium der Botanik, wurde schnell Mitglied der Botanischen Gesellschaft, die ihn im Sommer 1870 zu den Inseln Anholt und Läsö im Kattegat schickte, um Blütenpflanzen, Moose und Flechten zu sammeln. Im Herbst 1870 schrieb dann die Universität eine botanische Preisaufgabe über Desmidiaceen aus, d. h. einzellige, mikroskopische Grünalgen. Anscheinend war sie eigens für Jacobsen ausgeschrieben worden, dessen Abhandlung 1873 mit der Goldmedaille der Universität preisgekrönt und in französischer Sprache publiziert wurde. Diese sorgfältig registrierende Sammelarbeit über „die für die ganze Welt so unendlich wichtigen Desmidiaceen", wie sich Jacobsen in einem Brief an den schwedischen Botaniker Otto Nordstedt vom 14. Januar 1872 selbstironisch ausdrückte, ist nach der Ansicht heutiger Algologen immer noch von gewisser Bedeutung.

Die handschriftlichen Notizen dieser Zeit zeigen, daß auch der angehende Dichter durch die botanischen Studien Anregungen empfing. Während der Ausarbeitung der Abhandlung durchstreifte er als Algensucher die Gegenden Jütlands und übte sich dabei in der sprachlichen Ausmalung landschaftlicher Natureindrücke. Die genaue Wiedergabe gerade von Farbnuancen fällt dabei besonders auf: „helles glanzvolles Grün und tieferes saftigeres Grün" oder: „das breite bläulich blanke Wasser". Manchmal verdichtet sich der flüchtige Eindruck zu einem eigenständigen Bild, so etwa wenn es von Vejle Fjord heißt: „Wie eine bläuliche Klinge krümmt sich der Fjord nach Osten hin." Jacobsen, der die Mundart seiner Heimat um Thisted gut kannte, notierte in den Skizzenbüchern auch Wörter und Wendungen aus anderen jütländischen Dialekten, die er in den Wirtshäusern auf dem Lande aufgeschnappt hatte. Seine literarische Sprache ist zwar hochstilisiert; die gesprochene Sprache einfacher Leute ist aber auch ein Element dieses Stils, wobei er offensichtlich die ursprünglichere, bodenständigere Sprache der Provinz dem geschliffenen, urbanisierten Idiom Kopenhagens vorzog. So schreibt er beispielsweise in einem Brief aus Thisted am 30. September 1875: „Es tut mir wohl, hier zu sein, man lernt hier im Laufe von einer Woche viel mehr Dänisch als in Kopenhagen in einem ganzen Jahr."

Der Durchbruch der dänischen Moderne

Die Jahre, die der junge Jacobsen in Kopenhagen verbrachte, waren in der Geschichte Dänemarks eine Zeit des Umbruchs und des Umdenkens. Die militärische Niederlage im Kriege gegen Preußen und Österreich 1864, durch die der dänische König Holstein und Lauenburg und das Königreich Dänemark ganz Schleswig verloren, wurde in breiten Kreisen der Bevölkerung auf das Versagen der verantwortlichen Politiker zurückgeführt und hatte die oppositionellen politischen Kräfte im Lande gestärkt. Die christlich nationalen Grundtvigianer und die Bauernfreunde bildeten zusammen „Det Forenede Venstre" (Die Vereinigten Linksliberalen), denen sich um 1880 „Det litterære Venstre" (Die literarische Linke) anschloß, die von Jacobsens Freund Edvard Brandes organisiert wurde. Diese an sich höchst uneinheitliche Opposition gewann schon 1872 die Mehrheit der Sitze im Folketing. Da sie aber dennoch von der Regierungsmacht ausgeschlossen blieb, entstand in diesen Jahren ein erbitterter Streit um die Einführung einer parlamentarischen Praxis.

Eng verbunden mit diesen rein politischen Fragen war der kulturpolitische Streit zwischen verschiedenen Weltanschauungen, der das intellektuelle Klima der 1870er und 1880er Jahre in Dänemark bestimmte. Unter den führenden Vertretern der radikalen Opposition befanden sich die Brüder Georg und Edvard Brandes, die auch in unserem Zusammenhang wichtig sind, weil sie in Jacobsens Leben eine besondere Rolle spielten und an der Verbreitung seines literarischen Ruhms maßgeblich beteiligt waren.

Die Vorlesungen über ‚Hauptströmungen der Literatur des 19. Jahrhunderts', die Georg Brandes am 3. November 1871 an der Universität Kopenhagen begann und in den folgenden Jahren in unregelmäßigen Abständen fortsetzte, wirkten wie die aggressive Fanfare einer neuen Zeit. Schon hier trat Brandes in der doppelten Rolle des Literaturhistorikers und des Agitators auf. Was er verkündete, war die aufklärerische Botschaft einer emanzipatorischen Vernunft, die sich zu den überlieferten moralischen, religiösen und ästhetischen Werten des Bürgertums kritisch verhielt. Die Form, in der diese Botschaft verkündet wurde, war die der gezielten Provokation. Hier konnten die Dänen erfahren, daß ihr Volkscharakter einen Zug der Kindlichkeit und ihre Poesie dementsprechend ein Element der Naivität besäße, womit Brandes vor allem auf den biedermeierlichen Charakter eines großen Teils der nachromantischen dänischen Literatur zielte. Die dänische Literatur leide vor allem an einem abstrakten Idealismus: „Sie handelt nicht von unserem Leben, sondern von unseren Träumen", hieß es. In literaturwissenschaftlicher Hinsicht sind diese Vorlesungen als die Pioniertat einer vergleichenden europäischen Literaturgeschichte zu bewerten. Mit ihnen wollte „der gute Europäer" Brandes, wie ihn Nietzsche nannte, in der selbstgenügsamen Provinz des Nordens die Unruhe des modernen Europa entzünden. Er hatte auf einer Europareise 1870–71 mit verwandten Geistern persönliche Bekanntschaft gemacht; in Paris mit Ernest Renan und Hippolyte Taine, über dessen Ästhetik er sich 1870 habilitierte, in London mit John Stuart Mill, dessen Schrift über die Unterdrückung der Frauen (‚The Subjection of Women') er 1869 ins Dänische übersetzt hatte. Auf der Rückfahrt besuchte er in Dresden Henrik Ibsen, der ihm beim Abschied zurief: „Ärgern Sie die Dänen, dann werde ich mich der Norweger annehmen." Brandes hat die Erwartungen Ibsens nicht getäuscht. Seine Vorlesungen erregten in Dänemark und auch in den anderen skandinavischen Ländern ungeheures Aufsehen. An Brandes schieden sich seitdem die Geister. Unter seinen Anhängern befanden sich die Männer des sog. „Modernen Durchbruchs", eines Begriffs, der von Brandes selbst geprägt wurde und u. a. Bjørnson, Ibsen, Holger Drachmann, Edvard Brandes, Erik Skram und auch Jens Peter Jacobsen umfaßte.

Obwohl Edvard Brandes nicht mit der brillanten Star-Attitüde seines fünf Jahre älteren Bruders auftrat, hat er dennoch im dänischen Kulturkampf und in der dänischen Politik dieser Jahre eine außerordentlich wichtige Rolle gespielt. Er begann als Student der orientalischen Philologie, promovierte über ein altindisches Thema und schloß in den Studienjahren mit Jens Peter Jacobsen eine enge Freundschaft. Ideologisch stand er ohne Vorbehalt an der Seite des Bruders und kämpfte als Schriftsteller und Politiker für die gleichen Ideen. Nach Jacobsens Tod gab er dessen Briefe heraus mit einem Vorwort, das nicht nur von tiefer Verehrung für den verstorbenen Freund zeugt, sondern auch den einseitigen Parteimann am Werke zeigt, der den Dichter vor den eigenen ideologischen Karren spannen wollte. Dafür eigneten sich, wie wir sehen werden, weder Jacobsen noch seine dichterischen Werke.

Für den jungen Jacobsen war der Eintritt in den Kreis um die Brüder Brandes ein Ereignis von eminenter Wichtigkeit für seine persönliche und literarische Entwicklung. Er geriet hier in das Milieu einer Avantgarde, die sich den progressiven Ideen und Bewegungen in Europa bewußt öffnete. Unmittelbar vorher, in den ersten Kopenhagener Jahren, hatte er eine religiöse Krise durchgemacht, die seinem christlichen Kinderglauben ein Ende bereitete. Seine Begeisterung für Darwin und den Darwinismus bestärkte ihn in seiner neugewonnenen Meinung, und so war er sich von Anfang an mit den Brüdern Brandes in der Ablehnung des Christentums einig. Auch mit ihren sozialen und politischen Ideen scheint er einverstanden gewesen zu sein, nur interessierten ihn diese Fragen nicht allzu sehr. Man spürt förmlich, wie er sich in den Briefen an Edvard Brandes bemüht, auf die Interessen des politisch aktiven Freundes einzugehen. In Wirklichkeit blieb er ein durch und durch unpolitischer Mensch. Die Briefe zeigen aber, daß Jacobsen wohl wußte, was er diesen Freunden geistig und intellektuell verdankte. Unmittelbar nach dem Erscheinen seines ersten Romans, ‚Frau Marie Grubbe‘, schrieb er den 12. Januar 1877 an Edvard Brandes: „Das Buch ist für Euch, mit Euch und aus Euch herausgeschrieben, und was für mich am meisten Gewicht hat, ist natürlich, daß Ihr es als ein respektables

Gesellenstück anerkennt, wie viel Ihr auch dagegen einzuwenden haben möget." – Als die Schar der Anhänger um Georg Brandes abzubröckeln begann, sicherte ihm Jacobsen am 24. April 1878 seine unveränderliche Treue zu: „Soft but steady! Sie können ganz ruhig sein, in meinem Walzer wird es kein Schwanken geben."

Die Dankbarkeit, Bewunderung und Treue Jacobsens im Verhältnis zu den Brüdern Brandes machten ihn keineswegs für die wesentlichen Unterschiede blind, die von Anfang an zwischen ihnen bestanden. Am 13. März 1873 berichtete er Edvard Brandes: „Dein Bruder Georg und ich schlenderten gestern abend nach der Vorlesung herum und sprachen über die dänische Poesie. Gott bewahre, wie wenig einig wir sind." In der ersten Vorlesung über die ‚Hauptströmungen' 1871 hatte Georg Brandes den fragwürdigen und umstrittenen Satz geprägt: „Daß eine Literatur heutzutage lebt, zeigt sich darin, daß sie Probleme zur Debatte stellt." Wie eine späte Entgegnung darauf wirken die folgenden Worte Jacobsens in einem Brief an Edvard Brandes vom 30. März 1880: „Ich bin zu ästhetisch in gutem und in schlechtem Sinne, um mich auf diese direkten Paragraphendrescher-Dichtungen einzulassen, wo Probleme angeblich zur Debatte gestellt werden, während man sie bloß als gelöst postuliert (dies gilt sowohl für die Rechte als auch für die Linke)." Noch am 16. Dezember 1884 wird diese Formel zur Zielscheibe seiner Ironie: „So! Nun erfüllt dieser Brief die neueren Forderungen; hier ist ein Problem zur Debatte gestellt. Wie bin ich all dieser zur Debatte gestellten Probleme überdrüssig." Sein eigenes ästhetisches Credo hat Jacobsen nie zusammenhängend und theoretisch formuliert. Mit Sicherheit läßt sich aber feststellen, daß er von der individuellen Eigengesetzlichkeit eines jeden Kunstwerks jenseits von Programmen und Proklamationen zutiefst überzeugt war.

Jacobsen gegenüber waren die Brüder Brandes mit Kritik zurückhaltend. Ihre Korrespondenz aber macht deutlich, daß sie zwar den künstlerischen Rang und die Originalität von Jacobsens Werken erkannten, daß sie sich aber andererseits nie vorbehaltlos darüber freuen konnten. Jacobsens Werke entsprachen einfach nicht den Vorstellungen, die sie von moderner zeitgemäßer Literatur hatten. In ihren Briefen werden Wörter wie „manieriert", „krankhaft", „gesucht", „affektiert" u. ä. über Jacobsens Werke wiederholt angewandt. Ein besonderer Stein des Anstoßes war ihnen Jacobsens Stil. Georg Brandes hat auch in der Öffentlichkeit keinen Hehl daraus gemacht, daß er diesen Stil zwar bewundernswert, aber eigentlich abscheulich fand. Sein Ideal war der natürliche, ungekünstelte Ausdruck und nicht, wie er in der Abhandlung über die ‚Männer des Modernen Durchbruchs' schrieb, Jacobsens „Haß auf die unkünstlerische Magerkeit der geraden Linie", nicht „der geschnörkelte Ausdruck eines Stimmungs-Labyrinths", nicht „die Umwege und Irrwege der arabeskenhaft wildverschlungenen Diktion". Die Fähigkeit des großen Kritikers, sich auch für solche Werke zu begeistern, die seinem persönlichen Geschmack eigentlich zuwider sind, zeigt sich aber dann doch in dem spontanen Ausruf des Briefes an Kielland vom 30. Juni 1882: „Mir ist Jacobsen dort am liebsten, wo er am verrücktesten ist."

Der Stil ist aber, besonders im Falle Jacobsens, vom Gehalt der Werke nicht zu trennen, und so ging es bei den Vorbehalten der Brüder Brandes letztlich um mehr als um ästhetische Geschmacksfragen. Hier allerdings muß die Feststellung genügen, daß die Brüder Brandes innerhalb des „Modernen Durchbruchs" eine neurationalistische Tradition der Aufklärung vertraten, wofür z. B. die Einleitung von Georg Brandes' ‚Hauptströmungen' ein eindeutiges Beispiel liefert. Dieser rationalistischen Emanzipationsideologie ging es in erster Linie um gesellschaftliche Fragen. Jacobsen dagegen ist nie davon ausgegangen, daß die Welt rational erklärbar sei. Sein Ausgangspunkt war nicht die Ratio, nicht die Gesellschaft, sondern die Natur; die Erforschung der inneren Natur des Menschen war die geheime Mitte, um die seine Dichtung kreiste. Zwar schienen sich im europäischen Naturalismus, dessen skandinavische Variante der „Moderne Durchbruch" war, Ratio und Natur gegenseitig zu unterstützen und zu ergänzen.

Wie zur Zeit der Aufklärung wurde das Natürliche als vernünftig und das Vernünftige als natürlich angesehen. Bei Georg Brandes etwa erschien der Naturbegriff als so etwas wie ein strategischer Wert im gesellschaftlichen Emanzipationsprozeß. Mit der Natur und durch die Natur ließ sich die Sache der Freiheit und der Menschheit fördern. Aber: der Verlust der Transzendenz als Folge der naturalistischen Ideologie ließ ein Vakuum entstehen, in das bei anderen Naturalisten vielfach ein nicht-rationalistischer und nicht-positivistischer Natur- und Lebensbegriff ihren Einzug hielten. So entstand im europäischen Naturalismus wie auch beim „Modernen Durchbruch" eine innere Spannung, ein latenter Widerspruch zwischen der rationalistischen Aufklärungstradition einerseits und einer sich aus dem Naturstudium und dem Naturkult entwickelnden Irrationalität andererseits. Diese Spannung berührte nicht die Freundschaft zwischen Jacobsen und den Brüdern Brandes unmittelbar. Sie erklärt aber das auffallende Unbehagen und den Vorbehalt Jacobsens Werken gegenüber, die bei aller Bewunderung für Jacobsens künstlerisches Format das persönliche Urteil von Georg und Edvard Brandes bestimmten.

Das literarische Umfeld

Unter Jacobsens Jugendfreunden, die neben den Brüdern Brandes für Jacobsens literarische Orientierung und Urteilsbildung von Bedeutung waren, ist vor allem Vilhelm Møller hervorzuheben, mit dem Jacobsen schon 1869 eine herzliche, lebenslängliche Freundschaft schloß. Vilhelm Møller war ein Mann voller Ideen und Initiativen; er war vorwiegend als Herausgeber, Kritiker, Übersetzer u. ä. tätig. Der Plan einer Zeitschrift, deren Ziel nach Møllers eigenen Worten die Verbreitung einer „naturwissenschaftlichen und psychologischen Bildung" sein sollte, die das Publikum mit den „Gesetzen der Natur und der Seele" bekannt machen sollte, sprach den jungen Jacobsen unmittelbar an, und so kam es, daß seine populärwissenschaftlichen Aufsätze und sein erstes literarisches Werk, die Erzählung ‚Mogens', in Møllers ‚Nyt Dansk Maanedsskrift' (1870–1873) erschienen. Unter Møllers vielen Übersetzungen waren vor allem die von Turgenevs Werken für die dänische Literatur dieser Jahre wichtig. Møller hat nicht weniger als 18 Werke Turgenevs ins Dänische übertragen, von denen einige in ‚Nyt Dansk Maanedsskrift' erschienen. Vor der Veröffentlichung besprach Møller seine Übersetzungen eingehend mit den Freunden, darunter auch mit Jacobsen, der bis 1874 auch die Korrektur las. Was die Beschäftigung mit den Turgenev-Übersetzungen für Jacobsen bedeutet haben mag, läßt sich kaum mit Sicherheit sagen; er selbst hat sich dazu nicht geäußert. Die Schwierigkeit einer solchen Frage ist grundsätzlicher Art und wird in diesem Fall noch größer dadurch, daß es sich um zwei Schriftsteller handelt, deren Menschenbild, Naturauffassung und lyrischer Prosastil jenseits aller Beeinflussung als verwandt erscheinen.

In einem Brief an Vilhelm Møller vom 13. Januar 1881 stattet Jacobsen gleichsam einen Bericht über die Lektüre seiner

Jugendjahre ab. Daraus geht hervor, daß er sich schon in Thisted umfassende Kenntnisse der dänischen Literatur verschafft hatte. Im 18. Lebensjahre las er dann „den ganzen Goethe, Schiller, Wieland“; mit welchem fragwürdigen Ergebnis, das zeigen die sehr unreifen Notizen seines Nachlasses aus diesem Jahr. Danach folgten Shakespeare, Byron, Tennyson, Feuerbach und Heine sowie Søren Kierkegaard; er las Volkslieder und Volksmärchen, die Edda und die Sagas, er las Sainte-Beuve und Taine, zweimal die Bibel, dazu auch kunstgeschichtliche Abhandlungen und last not least Werke über Botanik. Wie man sieht, eine bunte Sammlung, die sich weder durch Originalität noch durch eine besondere Vorliebe für die moderne Literatur auszeichnet. Zolas Werke hat er beispielsweise erst spät gelesen und mit gemischten Gefühlen. Bemerkenswert ist allerdings das frühe Interesse an zwei Schriftstellern des englischen Sprachraums, Edgar Allan Poe (1809–1849) und Charles Swinburne (1837–1909), von denen er Poe schon seit 1867 und Swinburne spätestens seit 1870 in englischer Sprache las. Auch in diesem Fall führt die Frage nach einer Beeinflussung Jacobsens zu keinen sicheren Ergebnissen. Literaturhistorisch weisen Jacobsens Interesse für Poe und Swinburne sowie die Affinität gewisser Teile seines Werkes zu beiden Schriftstellern in die Richtung des europäischen Symbolismus. Baudelaire etwa übersetzte Poe, Swinburne führte Baudelaire in England ein, und George übersetzte Gedichte von Jacobsen, aber auch von Swinburne und stellte sie 1893 in seiner anti-naturalistischen Zeitschrift ‚Blätter für die Kunst‘ nebeneinander.

Was Jacobsens Verhältnis zur dänischen Literatur des 19. Jahrhunderts betrifft, so ist vor allem auf seine Bewunderung für die beiden Meister des dänischen Prosastils hinzuweisen, den Märchenerzähler H. C. Andersen (1805–1875), der auch Romane und Gedichte verfaßte, und den christlichen Philosophen Søren Kierkegaard (1813–1855). Von beiden ging eine nachhaltige Wirkung auf den Stilkünstler Jacobsen aus. Beide hatten sie, jeder auf seine Weise, die Ausdrucksfähigkeit der dänischen Sprache gesteigert; Andersen etwa durch die spielerische Ironie, die nervöse Empfänglichkeit und skurrile Hintergründigkeit seiner Erzählungen und Märchen, Kierkegaard durch die Virtuosität, mit der er seine intellektuelle Leidenschaft in Worte umsetzte.

Daß auf Jacobsen als den Verfasser des sog. Atheismus-Romans ‚Niels Lyhne' vom christlichen Denker Kierkegaard auch eine inhaltliche Wirkung ausging, mag zunächst überraschen. Dabei ist zu bedenken, daß kein anderer als der Freidenker Georg Brandes es war, der die erste Monographie über Søren Kierkegaard 1877 veröffentlichte. In einem Brief an Georg Brandes vom 2. Mai 1877 bedankt sich Jacobsen für die Zusendung dieses Buches, „das einen besonders tiefen Eindruck auf mich gemacht hat, noch tiefer als die erste Reihe der Vorlesungen." Brandes' Abhandlung ist von einer glühenden Bewunderung für Kierkegaards Sprache, Stil, Psychologie und Denkleidenschaft getragen und nicht zuletzt auch für Kierkegaards Mut, als Einzelner einen Sturmangriff gegen die dänische Staatskirche und deren Vertreter einzuleiten, wobei er dem christlich-philosophischen Anliegen Kierkegaards ablehnend und verständnislos gegenübersteht.

Jacobsens Vertrautheit mit Kierkegaards Schriften geht aus den nachgelassenen Aufzeichnungen eindeutig hervor. Da findet sich etwa eine kleine Randnotiz in seinem Exemplar von Carl Gustav Estländers ‚De bildande konsternas historia', in der Jacobsen sich und Anna Michelsen mit Kierkegaard und Regine Olsen vergleicht. Kierkegaards scharfsinnige erotische Psychologie, etwa im ‚Tagebuch eines Verführers', sowie seine tiefschürfende Analyse des Typus des Ästhetikers, der sich stets beobachtend und reflektierend verhält, nie existentiell ergriffen wird und nie zur Tat kommt, haben in Jacobsens Werk deutliche Spuren hinterlassen. In der Habilitationsschrift Jørn Vosmars: ‚J. P. Jacobsens Digtning' (1984), wird mit einem Kierkegaard-Einfluß gerechnet, der das gesamte Werk Jacobsens umfaßt – von den lyrischen Arabesken bis zu ‚Niels Lyhne'. Besonders Kierkegaards Ideen über das Verhältnis zwischen Unmittelbarkeit und Reflexion sowie über Dämonie, Verzweiflung, die Krankheit zum Tode u. a. sind nach Vosmar in Jacobsens Werk wirksam gewesen.

Darwin, Häckel und Jacobsen

In den 1860er Jahren war Darwin nicht nur in den naturwissenschaftlichen Kreisen Dänemarks bekannt, auch in den Zeitschriften und Tageszeitungen dieser Jahre tauchte sein Name häufiger auf. Jacobsen hat also nicht Darwin in Dänemark eingeführt, er hat aber als erster zwei der wichtigsten Werke Darwins, ‚On the Origin of Species' (1859) und ‚The Descent of Man' (1871), ins Dänische übertragen. Außerdem veröffentlichte er in der Zeitschrift ‚Nyt Dansk Maanedskrift' (1870–73) eine Anzahl populärwissenschaftlicher Aufsätze, hauptsächlich über Darwins Werke und Ideen, die eine rege kulturpolitische und ideologische Debatte über Darwin und den Darwinismus auslösten.

Man darf Jacobsens Begegnung mit den Werken Darwins als ein entscheidendes Bildungserlebnis seiner Jugendjahre bezeichnen. Der Verlust der christlichen Glaubensgewißheit, der noch vor der Bekanntschaft mit Darwin liegt, wird nun durch die Entwicklungslehre ersetzt. Jacobsen läßt den Leser seiner populärwissenschaftlichen Aufsätze nicht im Zweifel, daß er sich persönlich zu der „vernünftigen" Ansicht der neuen Lehre über die religiöse Frage bekennt, und daß er den Darwinismus für „gesünder und edler" hält als „die dunklen Träume von Adam und Eva in Edens nie gefundenem Garten" (V, 94). Andererseits hebt er sorgfältig hervor, daß diese und ähnliche Ansichten den Anspruch einer wissenschaftlichen Wahrheit nicht erheben dürfen. Nicht den Beweis, wohl aber die Möglichkeit wolle er daher vorlegen, „daß der Mensch nur der höchste Vertreter der organischen Formen" sei. Entsprechend vorsichtig formuliert er die Schlußfolgerung: „So spricht nichts dagegen, daß der Mensch von den Tieren abstammen kann" (V, 113).

Das Darwin-Erlebnis scheint den negativen Atheismus des

jungen Jacobsen in eine positive Lebensauffassung verwandelt zu haben. Darwin selbst war von der Schönheit und Großartigkeit seiner Einheits- und Entwicklungslehre fasziniert: „There is grandeur in this view of life", schrieb er 1859 in ‚The Origin of Species', und sein dänischer Jünger teilte diese Ansicht. Tonfall und Stil der einleitenden Sätze des Aufsatzes ‚Darwins Theori' 1870 zeigen das unmißverständlich. Darwin habe, so heißt es hier, die Entdeckung gemacht, „daß alles, was auf der Erde lebt, wie ein mächtiges Tuch ist, das sich selbst webt, wo der Lauf und die Farbe des einen Fadens diejenigen des anderen bedingen, und daß das Gewebe im Laufe der Zeiten immer reicher und schöner geworden ist (V, 22). Was den jungen Jacobsen vornehmlich beeindruckte, war Darwins Überzeugung von der Einheit und von dem Zusammenhang alles Lebendigen, einschließlich des Menschen. Dieser Aspekt scheint für Jacobsen wichtiger gewesen zu sein als Ideen wie survival of the fittest, struggle for life und wie die Darwinschen Formeln alle lauten, die in den kommenden Jahrzehnten in einem Teil der europäischen Literatur eine so wichtige Rolle spielen sollten. Als Jacobsen 1871 dem Inhaber des Verlags Gyldendal das Angebot machte, Darwins ‚Origin of Species' zu übersetzen, hob er denn auch hervor, daß die neue Naturwissenschaft „auf allen Gebieten die Einheit in der Natur zu behaupten sucht".

Die Überzeugung von dem nur graduellen Unterschied zwischen Mensch und Tier führte bei Jacobsen keineswegs zu einer Entwertung oder Enthumanisierung des Menschenbildes. In dieser Hinsicht unterschied er sich nach seiner eigenen Meinung von einem großen Teil des europäischen Naturalismus. Am 14. Oktober 1877 schrieb er beispielsweise an Edvard Brandes über Zola: „Der Mensch ist ein zugleich armseliges, fürchterliches und bewunderungswürdiges Tier. Zola sagt: der Mensch ist selbst in seinen angenehmen Formen ein ungewöhnlich widerwärtiges Tier." Jacobsen degradiert nicht den Menschen wegen der Verbundenheit mit der animalischen Natur; eher integriert er sie in sein Menschenbild, ohne daß dies zu einer Vertierung des Menschen im negativen Sinne des

Wortes führt. Das „Bewunderungswürdige" steht als Möglichkeit neben dem Armseligen und Fürchterlichen. Vulgärdarwinist wurde Jacobsen nie. Der Darwinismus blieb ihm zeitlebens nur unter dem Vorbehalt der Humanität und auch der Individualität gültig.

Was die weltanschaulichen Schlußfolgerungen aus Darwins Lehre betrifft, trug Jacobsen in seinen Aufsätzen eine bemerkenswerte Vorsicht und Nüchternheit zur Schau, die ihn von vielen anderen Darwinisten unterschied, wenn auch nicht von Darwin selbst. Als er am Ende des Aufsatzes über ‚The Descent of Man' die Frage nach den Folgen der Abstammungslehre stellte, brachte er statt einer eigenen Antwort ein seitenlanges Zitat aus Ernst Häckels Schrift ‚Natürliche Schöpfungsgeschichte', deren zweite Auflage 1870 Jacobsen nachweislich von der Königlichen Bibliothek entliehen hatte. Daß Jacobsen sich für den führenden deutschen Darwinisten interessierte, kann nicht überraschen. Nicht nur hatte Häckel seit dem Anfang der 1860er Jahre eine rege popularisierende Tätigkeit im Dienste des Darwinismus entfaltet, sondern gerade die „Natürliche Schöpfungsgeschichte" räumt den Algen und darunter besonders den Desmidiaceen, über die Jacobsen ja seine preisgekrönte Abhandlung schrieb, eine bedeutsame Stelle im darwinistischen Pflanzensystem ein. Häckels Begeisterung für die „zierlichen Formen" der „reizenden Desmidiaceen", von denen er die Abbildung eines „zierlichen sternförmigen Körpers" bringt, findet eine erstaunliche Entsprechung beim jungen Jacobsen. Im Jahre 1868, als die Erstauflage von Häckels ‚Natürliche Schöpfungsgeschichte' erschien, machte Jacobsen am 8. März in seinem Tagebuch die Bemerkung, daß man beim Studium der Algen fast glauben könnte, daß es einen Gott gäbe, der als Künstler die für die Algen charakteristischen Zirkel und Triangel, mit Punkten und Strichen ornamentiert, entworfen hätte. In der gedruckten Preisabhandlung bringt Jacobsen eine Tafel mit Desmidiaceen, von ihm selbst nach der Natur gezeichnet.

Das von Jacobsen in seinem Aufsatz über ,The Descent of Man' herangezogene Häckel-Zitat ist für die Fortschrittsgläubigkeit und die begeisterte Kritiklosigkeit des deutschen Darwinisten charakteristisch. Dank der Entwicklungslehre – so Häckel – wird der Mensch allmählich eine geistige und moralische Vervollkommnung erreichen, die ihn aus dem gegenwärtigen Zustand „sozialer Barbarei" herausführen wird. Die einzige Bedingung sei „eine vollständige und aufrichtige Rückkehr zur Natur und zu den natürlichen Verhältnissen" (V, 123). Wenn der Mensch seinen rechten Platz in der Natur erkannt hat, wird er nach Häckel danach streben, „sein Leben in Übereinstimmung mit dem Naturgesetz zu bringen." Die dann entstehende „einfache Naturreligion" würde auf die Entwicklung der Menschheit viel „veredelnder wirken als die mannigfaltigen Religionssysteme der verschiedenen Völker". Jacobsen hatte mit diesem ins Dänische übersetzten Zitat zwar einen effektvollen Schluß seines Darwin-Aufsatzes gefunden, spürte aber offensichtlich das Bedürfnis, sich zugleich von Häckel zu distanzieren. Vor dem Zitat heißt es, daß Häckel „freilich ein sehr begeisterter Anhänger von Darwins Theorie ist, aber zugleich auch ein selbständiger Wissenschaftler, dessen Gründlichkeit und Scharfsinnigkeit von niemandem in Zweifel gezogen werden". Bei dieser positiven Beurteilung Häckels konnte sich Jacobsen auf Darwin selbst stützen, der 1871 in der Einleitung der Schrift ,The Descent of Man' Häkkel einen Wissenschaftler nennt, „dessen Kenntnisreichtum in mancher Hinsicht bedeutender ist als der meine". Nach dem Zitat entschuldigt Jacobsen dann Häckels Höhenflug mit der Bemerkung, daß derartige Aussagen charakteristisch seien für die Begeisterung für das Neue und für die Bitterkeit gegen das Alte, „die fast immer bei den Vertretern des Neuen festzustellen ist". Er beschränkt sich auf die etwas zahme Schlußbemerkung, daß Häckel insofern recht habe, als die Abstammungslehre zu neuen Ergebnissen führen werde, „deren Bedeutung wir heute nur ahnen können" (V, 124). In den Darwin-Aufsätzen flüchtet sich Jacobsen in die einigermaßen sichere Rolle des positivistischen Naturwissenschaftlers.

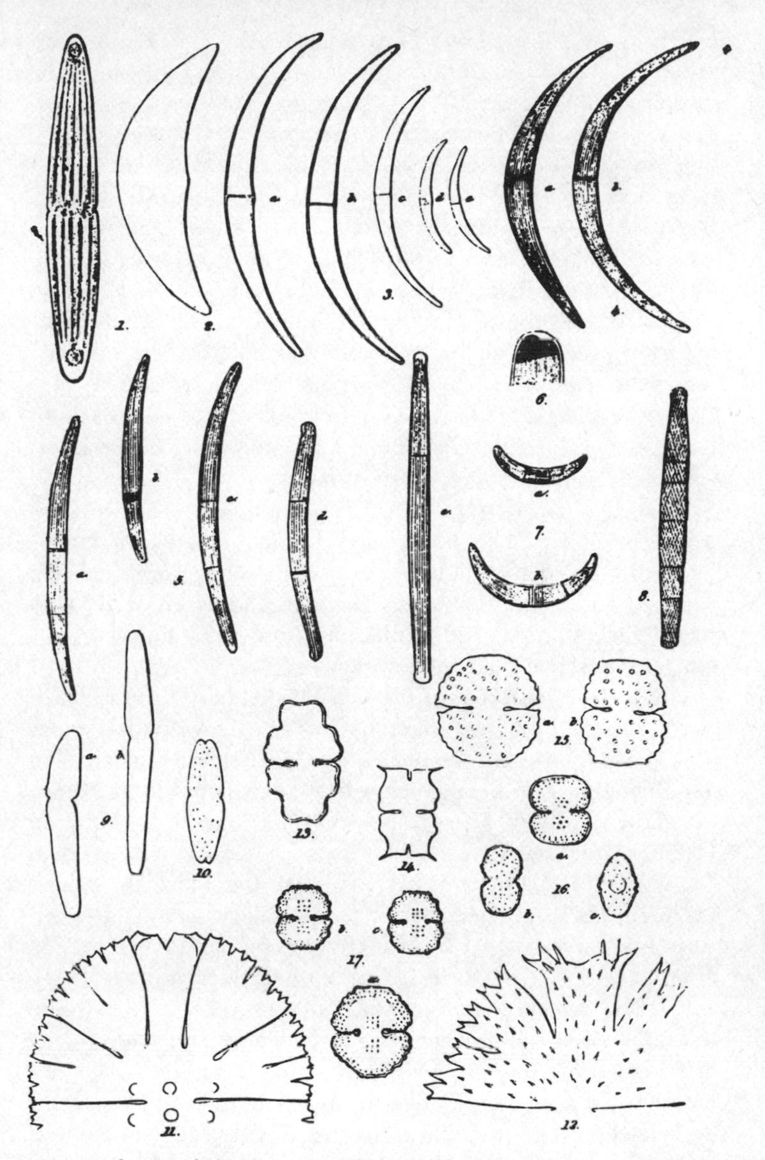

Von Jacobsen nach der Natur gezeichnete Tafel mit Desmidiaceen, um 1870

Damit ist zugleich auch der Unterschied angedeutet zwischen Häckels Naturauffassung und der Naturauffassung, die in den naturwissenschaftlichen Schriften Jacobsens zum Ausdruck kommt. In Häckels Denken gab es von Anfang an eine Spannung zwischen einer rein mechanistischen Naturerklärung und der Annahme einer allgemeinen Naturbeseelung. Die spekulativ-idealistische Irrationalität seiner sog. monistischen Lehre trat immer unverhüllter mit dem Anspruch auf religiöse und naturphilosophische Gültigkeit auf. Mit seinem Monismus bekämpfte Häckel nicht nur den kirchlichen Dogmatismus, sondern auch den naturwissenschaftlichen Positivismus seines eigenen Faches. In Wirklichkeit suchte er eine Synthese von Religion, Naturphilosophie und Naturwissenschaft, und indem er von der Beseelung auch der kleinsten Bestandteile der Natur ausging, so z. B. im Aufsatz ‚Zellseelen und Seelenzellen' aus dem Jahre 1878, vereinnahmte er alle „Panpsychisten" des Abendlandes von Empedokles bis Schopenhauer. Hinter der modernen naturwissenschaftlichen Fassade kommt es so durch Häckel und seine Anhänger zu einer faktischen Vermittlung der Ideen der im Positivismus sonst verpönten romantischen Naturphilosophie.

Unter den Geistern, auf die sich Häckel berief, befand sich auch der „Psychophysiker" Gustav Theodor Fechner (1801–1887), dessen ‚Nanna – oder: Über das Seelenleben der Pflanzen' 1848 erschienen war. Häckel hebt ihn im vorhin erwähnten Aufsatz über Zellseelen 1878 lobend hervor, weil Fechner einer der wenigen Naturforscher sei, die sich mit dem Seelenleben der Pflanzen beschäftigten. Gerade diese Schrift Fechners spielt in einem der ersten populärwissenschaftlichen Aufsätze Jacobsens, ‚Über die Bewegung im Pflanzenreich' (1870), eine gewisse Rolle. Jacobsen geht hier von der Frage aus: „Wie lebendig ist eigentlich die Pflanze?". Mit Ironie distanziert er sich von Fechner, dessen Theorien er offensichtlich nicht ernst nimmt. Die Vorstellung Fechners von einer Kommunikation der Pflanzen unter sich stellt Jacobsen auf die gleiche Stufe wie die von ihm zitierten Verse Heines: „Heimlich erzählen die Blumen/Sich duftende Märchen in's

Ohr" (V, 4). Dagegen zeigt er sich von den internen „Kommunikationsmitteln" der Pflanze und der Tätigkeit einer jeden Zelle fasziniert, die er mit einer winzigen chemischen Fabrik vergleicht. Nachdem Jacobsen dann einige empirische Untersuchungen und experimentelle Versuche beschrieben hat, die mit biochemischen und physiologischen Mitteln die Bewegungen der Pflanzen zu erklären versuchten, schließt er den Aufsatz mit dem folgenden programmatischen Bekenntnis: „Die Naturwissenschaft weiß nur wenig, sie geht nur langsam vorwärts, aber sie nimmt keinen Schritt zurück; sie erzwingt sich Tatsache auf Tatsache ... Spekulationen über die Natur sind nur Scheingefechte gegen das Dunkel; aber die Tausende von Einzelgefechten, die der Wissenschaftler in der Stille auskämpft, eröffnen uns Schritt für Schritt den Weg zum Gipfel des Berges" (V, 16).

Jacobsens Schwanken zwischen Distanzierung und Faszination Häckel gegenüber ist offensichtlich auf das Nebeneinander von induktiver Wissenschaft und spekulativer Metaphysik in dessen Schriften zurückzuführen. Methodologisch stand der Naturwissenschaftler Jacobsen auf dem festen Boden eines positivistischen Empirismus. Anders verhielt es sich allerdings mit dem Dichter Jacobsen. Wenigstens in der Erstlingsnovelle ‚Mogens' finden sich, wie wir sehen werden, Züge, die mit Häckels Zusammenhangsdenken und Einheitssuche mehr zu tun haben als mit einem strengen und asketischen Positivismus.

‚Mogens'

Mit der Erzählung ‚Mogens' betrat Jacobsen 1872 zur größten Überraschung seiner Umgebung den dänischen Parnaß. Sie erregte in der literarischen Öffentlichkeit zunächst nicht allzuviel Aufmerksamkeit, wird aber heute von dänischen Literaturhistorikern als ein Meilenstein in der Geschichte des dänischen Prosastils betrachtet. Dabei handelt es sich unverkennbar um ein typisches Erstlingsprodukt, dessen Stil sich aus traditionellen und modernen Elementen zusammensetzt. Das wird schon an den ersten Sätzen der Erzählung deutlich. Einerseits zeigen der lockere Plauderton und vor allem die humoristische Beseelung der Pflanzen und Blumen, wie viel dieser junge Schriftsteller noch dem Märchendichter Andersen, aber auch Heine u. a. verdankt: „Die Windlinge ließen ihre weißen Kronen bis zum Rand füllen, blinzelten einander zu und gossen den Nesseln das Wasser auf den Kopf." Das ist Andersen-Ton, literaturhistorisch rückwärts gewandt und auch den Heine-Versen nicht allzu unähnlich, die Jacobsen unmittelbar vorher in seinem Aufsatz ‚Über die Bewegung im Pflanzenreich' zitiert hatte. Andererseits demonstriert Jacobsen schon hier eine verblüffende Beherrschung der Stilmittel, die von der Literaturwissenschaft als impressionistisch bezeichnet werden. Mit sicherem Griff wird in szenischer Darstellung alles aus der Sicht der Hauptperson vorgeführt. Am berühmtesten ist die Regenwetter-Szene, von der Rilke in der Worpswede-Monographie (1902) schrieb: „Mogens wurde aufgeschlagen, und schon war man mitten drin in der frohen, flimmernden, atemlosen Lebendigkeit dieses unvergeßlichen Regenschauers." Dem Leser ebenso überraschend wie der Titelfigur ist der Anfang des Schauers. Mogens schaut sich einen alten Maulwurfhügel an, „der vor Dürre ganz lichtgrau geworden war. Plötzlich kam ein kleiner runder dunkler Fleck auf den lichtgrauen Mull, noch einer, drei, vier, viele, mehr noch, der ganze Hügel war völlig dunkelgrau. Die Luft war lauter lange dunkle Striche, die Blätter neigten und beugten sich und es kam ein Sausen, das in Sieden überging: es schüttete Wasser hinab“ (III, 124). Vom Regen wird nicht berichtet, das Wort „Regen“ kommt überhaupt nicht vor, sondern der Schauer wird als unmittelbare sinnliche Gegenwart dargestellt.

‚Mogens‘ besteht aus einer lockeren Folge von Szenen und Situationen, die durch ihren Bezug auf die Titelfigur zusammengehalten werden. Sie gruppieren sich in chronologischer Reihenfolge um die drei Frauengestalten: Kamilla, Laura und Thora, mit denen Mogens jeweils ein Liebesverhältnis hat. In einem jeden dieser drei Teile wird die Natur auf eine jeweils andere Weise thematisiert.

Im ersten Teil stellt Jacobsen die Begegnung und die Verliebtheit von Kamilla und Mogens dar. Diese Szenen, die fast alle im Walde, im Garten und auf dem See spielen, atmen eine jugendliche Frische und Sorglosigkeit, die sich in Jacobsens Werk sonst kaum finden. Mogens wird von Anfang an als ein unbekümmert dahin lebender, naturverbundener Jüngling dargestellt, im Grase liegend, im Regenwetter singend, so daß ihn Kamilla zunächst als den „Regenwettermann“ bezeichnet. Seine Eltern sind tot; der Vater war ein hoher Beamter, aber der in der Provinz aufgewachsene Sohn interessiert sich weder für Schule, Ausbildung, Politik, Lyrik noch für Angelegenheiten des öffentlichen und des Kopenhagener Lebens. So erblickt der Justizrat, der mit seiner Tochter den Sommer auf dem Lande verbringt, in ihm eine „beispiellose Mischung von Natur und Zivilisation“. Mit liebenswürdiger Ironie wird dieser Justizrat dem Lächeln des Lesers ausgeliefert, eine Wirkung, die nicht zuletzt durch das Stilmittel der erlebten Rede erreicht wird: „Der Justizrat war ein Freund der Natur; die Natur war ganz besonders, die Natur war eine der schönsten Zierraten des Daseins. Der Justizrat protegierte die Natur; er verteidigte sie gegen das Künstliche ... Durch den Sündenfall war die Zivilisation über die Menschen gekommen ... Nein; der Naturzustand war nun einmal eine Perle, förmlich eine

Perle“ (III, 128 f.). Nach dem Sommeraufenthalt kehren der Justizrat und Kamilla, vom künftigen Schwiegersohn Mogens begleitet, in die Hauptstadt zurück. Kurz, aber deutlich gibt uns Jacobsen zu verstehen, daß zwischen Mogens und den Kopenhagenern kühle Distanz und innere Gegensätzlichkeit bestehen. Mogens ärgert sich über die wortreichen konventionellen und konformen Städter, und sie ihrerseits betrachten ihn als eine etwas verdächtige Person, „still und verlegen, fast linkisch“, ein vernichtendes Urteil, das den Worten gleicht, mit denen Edvard Brandes das Auftreten des jungen Jacobsen in dessen ersten Kopenhagener Jahren beschrieb. Die Bürger-Satire liegt aber am Rande der Erzählung und verschwindet, sobald sie ihre Kontrastfunktion erfüllt hat. Was Jacobsen vor allem interessierte, war die „Natur“ des Menschen als eine außergesellschaftliche Instanz.

Die heitere Liebesidylle zwischen Kamilla und Mogens wird jäh zerstört, als Kamilla während eines Feuers Beute der Flammen wird. Mogens versucht sie zu retten, muß aber, von einem Balken festgeklemmt, ihrem Flammentod hilflos zusehen: „Da hörte er es auf der anderen Seite der Tiefe stöhnen und er sah auf dem Boden von Kamillas Stube etwas Weißes sich bewegen. Das war sie. Sie lag auf ihren Knien und hielt, während sie sich in den Hüften wiegte, eine Hand an jeder Seite des Kopfes. Sie erhob sich langsam und kam zum Rand des Abgrundes hin . . . ganz, ganz langsam sank ihr Oberkörper nach vorn, ihr langes schönes Haar fegte über den Boden; ein kurzes starkes Aufflackern und es war hin; im nächsten Nu stürzte sie hinab in die Flammen. – Mogens stieß einen klagenden Laut aus, kurz, tief und stark wie das Brüllen eines wilden Tieres . . .“ (III, 150 f.).

Die Brandszene steht innerhalb dieser Liebesgeschichte an der Stelle, wo die flirtende Unschuld der jugendlichen Verliebtheit im Begriff ist, leidenschaftlicheren Gefühlen zu weichen. Unmittelbar vorher hatte Mogens in einem Anfall von Eifersucht die Heftigkeit seiner Gefühle mit folgenden Worten zu erkennen gegeben: „Du bist mein, du hast dich mir verschrieben wie der Doktor dem Teufel, du bist mein mit Seele und Körper, mit Haut und Haar, in alle Ewigkeit hinein" (III, 145). Unmittelbar danach folgt die Brandszene, und mehr erfahren wir von Mogens' Gefühlen nicht. Allegorisierende Auslegungen der Brandszene, wie sie in einem Teil der dänischen Jacobsen-Forschung vorkommen, sind weder nötig noch berechtigt. Das Feuer bedeutet, was es ist: die zerstörerische Kraft der Natur, die den Tod Kamillas und Mogens' zeitweiligen Wahnsinn bewirkt, bricht in dem Feuer und mit dem Feuer hervor. Das Bild ist symbolisch, nicht allegorisch.

Fortgeführt wird dieser destruktive Aspekt der Natur dann in dem darauf folgenden Laura-Teil der Erzählung, in dem Mogens mit Gauklern, Saufbrüdern und „leichtfertigen Frauenzimmern" in Jütland ein ausschweifendes Leben führt, das durch Desillusionierung, Weltschmerz und Nihilismus gekennzeichnet ist. Das gilt auch für die Liebeserfahrung mit Laura, die Mogens schließlich mit den Worten verstößt: „Ihr seid rechte Hunde, Ihr Frauenzimmer! Ihr habt keine Ehre im Leibe; wenn man euch mit dem Fuße fortstößt, kommt Ihr wieder zurückgekrochen."

Das Ende dieser negativen Phase tritt ein, als Mogens während eines nächtlichen Spazierganges aus dem Garten eines Herrenhauses eine singende Frauenstimme hört. Gesungen wird ein Lied, dessen Text die Frage enthält, ob in der Blume die gleiche träumerische Sehnsucht „flüstert, seufzt und klagt" wie in der Sängerin selbst. Das ist zweifellos eine Vorstellung, die wir aus der Literatur der Romantik kennen, die uns aber auch unmittelbar zur vorhin erwähnten Schrift Fechners ‚Nanna – oder: Über das Seelenleben der Pflanzen' und zu Jacobsens eigener Frage: „Wie lebendig ist die Pflanze?" (siehe S. 32) zurückführt. Das Lied rahmt den Thora-Teil der Erzählung ein, da seine Schlußverse: „In Sehnsucht/In Sehnsucht ich lebe", am Ende wiederholt werden. Vor allem greift es das Naturthema in einer Weise auf, die sich markant von den beiden ersten Teilen der Erzählung unterscheidet.

Nachdem Mogens mit der singenden Frau, Thora, Bekanntschaft gemacht hat, verliebt er sich in sie und heiratet sie. Er will jetzt eine Liebe verwirklichen, die „rein und edel, ohne jede grobe, irdische Leidenschaftlichkeit" sein soll, und so läßt er in der Hochzeitsnacht seine junge Frau allein. Thora ist damit in Jacobsens Werk die erste, aber nicht die letzte Frau, die an der Last leidet, die ihr von der idealisierenden Anbetung der Männer aufgeladen wird. Dank ihrer gesunden „Natur" gelingt es Thora, ihren Mann von den schwärmerischen dualistischen Skrupeln zu heilen. Die Darstellung dieser Bekehrung – das Wort „Verführung" wäre fehl am Platze – zeigt Jacobsens frühe psychologische Meisterschaft: das halb Bewußte, die einander widerstreitenden Gefühle, die ahnungsvolle Wahrnehmung triebhafter Regungen, die zu Thoras für ihre Vernunft widersinnigem Wunsch führen, vom Geliebten geschlagen zu werden, das alles sind Vorboten der Einsicht Jacobsens in das unbewußte Seelenleben, die in den Werken der folgenden Jahre zur vollen Entfaltung kommen.

Noch vor ihrer Liebeserklärung hatten Mogens und Thora ein Gespräch über die landschaftliche Natur geführt. Thora vertritt den Standpunkt, daß die Nautr mit übernatürlichen Wesen wie Trollen, Elfen, Nissen u. a. bevölkert sei und erst dadurch auch interessant wird. Demgegenüber erklärt Mogens seine Liebe zur „reinen" Natur: „An jedem Blatt, jedem Zweig, jedem Lichtschimmer und jedem Schatten kann ich mich erfreuen. Es ist kein Hügel so kahl, kein Torfgraben so vierkantig, keine Landstraße so langweilig, daß ich mich in einem einzelnen Augenblick nicht darin verlieben kann." Da Thora darauf ziemlich verständnislos reagiert, fährt er fort: „Es liegt an der Farbe, an der Bewegung und an der Form, die es hat, und dann am Leben, das darin ist, den Säften, die in Bäumen und Blumen aufsteigen, an Sonne und Regen, die sie wachsen machen, und dem Sand, der zu Hügeln zusammenweht, und den Wolkenbrüchen, die die Abhänge furchen und zerreißen" (III, 170 f.). Hier spricht offensichtlich der botanische Naturbeobachter Jacobsen, dessen Empfänglichkeit für Schönheitseindrücke sich mit der sachlichen Einsicht in die Naturvorgänge verbindet. Zugleich enthalten diese Worte eine programmatische Absage an die personifizierende und anthropomorphisierende „Beseelung" der Natur.

In dieser Novelle entsprechen sich die Naturauffassung und die Liebesauffassung genau, denn in beiden Fällen geht es darum, die Barriere der phantastischen, märchenhaften und ideologischen Vorstellungen abzureißen, die den Zugang zur elementaren Grundlage versperrt. Unmittelbar vor dem Vollzug der Ehe ergeht sich Thora in märchenhaften Vergleichen etwa mit Hans und Gretel oder mit dem seine Geliebte entführenden Araber etc., bis Mogens die einfache Frage stellt: „Warum darf es nicht sein, was es ist?“ – eine Frage, die er nur mit anderen Worten auch in der Diskussion um die Naturauffassung gestellt hatte. Auf diese Frage reagiert Thora mit ihrem vorhin erwähnten, sinnlichen Liebesbekenntnis, und der Weg der Liebenden zur „Natur“ ist frei.

Insofern steht die Novelle im besten Einklang mit dem Programm des „Modernen Durchbruchs“, was die Auffassung von der Frau, von Liebe und Natur betrifft. Trotzdem bleibt hier ein Rest, der nicht aufgeht. Als Mogens seine Liebe zu den einfachen Naturvorgängen erklärt hat, fragt ihn Thora: „Und das ist genug für Sie?“, worauf Mogens folgende Antwort gab: „O, es ist manchmal zu viel, – allzuviel. Und wenn nun Form und Farbe und Bewegung so anmutvoll und leicht sind, und es dann hinter all dem eine seltsame Welt gibt, die lebt und jauchzt und sich sehnt und das Alles singen und sagen kann, so fühlt man sich so verlassen, wenn man der Welt nicht näher kommen kann, und das Leben wird so matt und so schwer.“ Mogens lehnte ja, wie wir sahen, die Ausstattung der Natur mit Trollen, Elfen u. ä. ab, setzt aber anscheinend voraus, daß es hinter der Welt der Naturphänomene dennoch eine andere „seltsame“ Welt gibt, die sogar „jauchzt und seufzt und sich sehnt“. Die von Mogens und Thora vertretenen Naturauffassungen sollen zweifellos als die Kontrastierung der modernen und der „romantischen“ veralteten Naturauffassung verstanden werden. Wie ist es aber dann zu erklären, daß Mogens sich nicht auf eine streng positivistische mechanistische Naturauffassung beschränkt? Hier taucht wohl abermals im Hintergrund Ernst Häckel auf, den Jacobsen ja trotz gewisser Vorbehalte bewunderte. Häckel hatte den gegen die Entwicklungslehre gerichteten Vorwurf, sie würdige die lebendige Natur zu einem seelenlosen Mechanismus herab, heftig zurückgewiesen. Im letzten Absatz des bereits erwähnten Aufsatzes ‚Zellseelen und Seelenzellen' macht er zunächst eine Unterscheidung, was die Belebung der Natur betrifft, die den unterschiedlichen Naturauffassungen Thoras und Mogens' im Prinzip entspricht, und dann erklärt er seine eigene Naturauffassung, die zwar die personifizierende Mythologie verwirft, aber stattdessen – ähnlich wie Mogens – eine andere Art der Belebung und der Beseelung der Natur introduziert: „Freilich fehlen uns heute die Nymphen und Najaden, die Dryaden und Oreaden, mit denen die alten Griechen Quellen und Flüsse belebten, Wälder und Berge bevölkerten; sie sind mit den Göttern des Olympos längst verschwunden. Aber an die Stelle dieser menschenähnlichen Halbgötter treten die zahllosen Elementargeister der Zellen. Und wenn irgend eine Vorstellung im höchsten Grade poetisch und wahr zugleich ist, so ist es sicher die klare Erkenntnis: daß in dem kleinsten Würmchen und in dem unscheinbarsten Blümchen Tausende von selbständigen zarten Seelen leben." Häckels Aufsatz erschien im Jahre 1878 in der Deutschen Rundschau, und so kommt diese Stelle als „Quelle" für ‚Mogens' nicht in Betracht. Darum geht es auch gar nicht. Entscheidend ist vielmehr, daß Häckel von Anfang an eine derartige Auffassung der beseelten Natur vertrat. In einer etwas extremeren Form, hatte Jacobsen sie auch bei Fechner kennengelernt und sich, wie wir sahen, im Aufsatz ‚Über die Bewegung im Pflanzenreich' vom Standpunkt des positivistischen Naturforschers darüber lustig gemacht. Im dichterischen Kontext der Erstlingsnovelle ‚Mogens' wird diese Naturauffassung aber nicht nur ernstgenommen, sondern mit einer Liebessehnsucht verbunden, die zugleich eine Art mystisch getönter Einheitssehnsucht enthält. Dieser verschämte Bezug zur Naturphilosophie der Romantik und zu deren naturwissenschaftlichen Nachfolgern tritt im Spätwerk nicht mehr so unverhohlen hervor, erhält sich aber dennoch, wie am Beispiel des Romans ‚Niels Lyhne' zu sehen ist (siehe S. 85 f.).

Psychologie und Psychopathologie

Unter den Entwürfen und Notizen Jacobsens aus der Zeit um 1870 findet sich eine beträchtliche Anzahl, die von seinem bohrenden Interesse für psychopathologische Seelenzustände zeugen. Den Freunden und Bekannten blieb zunächst auch diese Neigung Jacobsens unbekannt. Der spätere Schriftsteller Erik Skram berichtete, daß Jacobsen im Gymnasium nur einmal ein Wissen enthüllte, das über den Horizont seiner Mitschüler ging. Die Klasse sollte einen Aufsatz über das Mönchswesen des Mittelalters schreiben, und Jacobsen hatte dafür den ironisch respektlosen Titel gewählt: ‚Die hellen Seiten des Mönchswesens'; damit spielte er auf die Bußübungen der Mönche an, denn – so meinte der 18jährige Schüler –: „Bußübungen sind Sinnlichkeit". Die Ausrufungs- und Fragezeichen des Lehrers am Rande des Aufsatzes, der sich im handschriftlichen Nachlaß befindet, deuten die gemischten Gefühle des Lehrers an, der mit Verständnislosigkeit und mit einer dunklen Ahnung von etwas Anstößigem reagierte, und darin hatte er ja recht! Später hat Jacobsen wiederholt den Zusammenhang von körperlicher Selbstpeinigung und Wollustgefühl dargestellt; so etwa im monologischen Dramenfragment ‚Faustina' (1870), vor allem aber in der Meistererzählung ‚Die Pest in Bergamo'. Auf Grund dieser und ähnlicher Beispiele zog der dänische Literaturhistoriker Frederik Nielsen in seiner umfangreichen Abhandlung ‚J. P. Jacobsen. Digteren og Mennesket' (1953) den Schluß, daß Jacobsen ein Algolagniker gewesen wäre, d. h. ein Mensch, dem das Erleiden oder Zufügen von Schmerzen eine sexuelle Lustempfindung hervorruft. In der heutigen Jacobsen-Forschung wird diese These durchgehend abgelehnt. Man ist nicht mehr bereit, aus dem Werk eines Autors unmittelbare Schlüsse auf seine sexuelle Veranlagung zu ziehen. Die Beobachtung Nielsens aber, daß in Jacobsens Werk sadomasochistisch anmutende Bilder und Situationen häufig auftreten, besteht zurecht. Übrigens waren derartige Bilder in der zeitgenössischen europäischen Literatur weit verbreitet. Den deutsch schreibenden Leopold Sacher-Masoch (1836–1895) etwa, nach dessen Novellen der Begriff Masochismus zu dieser Zeit geprägt wurde, hatte Jacobsens Freund Vilhelm Møller ins Dänische übersetzt. In Jacobsens Handbibliothek fanden sich mehrere dieser Übersetzungen.

Jacobsens Vorliebe für Seelenzustände, die sich etwas außerhalb der Normalität befinden, zeigt sich mit besonderer Deutlichkeit in dem von Jacobsen nicht veröffentlichten Erzählfragment ‚Clara' (1870) mit dem bezeichnenden Untertitel ‚Pathologische Skizze'. Offensichtlich liegt hier eine Fallstudie über ‚Hysterie' vor, im klinischen Sinne dieses Wortes, das auch im Text vorkommt. Das Verhalten Claras wird durch widersprüchliche Impulse jenseits des Willens und der Vernunft bestimmt. Sie gehörte zu den Unglücklichen, „die sich nach dem Leben sehnen und sich davon ausschließen". Am Fenster stehend in der Wohnung des zweiten Stockwerks wird sie wiederholt von einer unwiderstehlichen Neigung ergriffen, sich fallen zu lassen, wobei sie den Fall und die Zerschmetterung des Körpers innerlich so lebhaft vollzieht, daß sie sich schaudernd in eine Ecke der Stube verkriecht. Diese Fensterszene ist fast wörtlich in den Roman ‚Frau Marie Grubbe' eingegangen.

Ein durchgehender Zug dieser seelischen Zustände ist das Vorwalten des Unbewußten. Mit leidenschaftlichem Interesse hat sich Jacobsen dem unbewußten und halb bewußten Bereich des Seelenlebens, der den Grund und den Regulator des bewußten Lebens bildet, zugewandt. In diesen Jahren machten sich große Teile der Psychologie, nicht zuletzt die sog. physiologische Psychologie, von der Philosophie frei, mit der sie sonst seit Aristoteles verbunden gewesen war. In der von Vilhelm Møller herausgegebenen Zeitschrift ‚Flyvende Blade', zu der auch Jacobsen literarische Beiträge lieferte, heißt es in der März-Nummer 1875 lapidar: „Die Psychologie ist eine Naturwissenschaft; sie muß als eine solche aufgefaßt und behandelt werden." Diese Feststellung war in einem Aufsatz des bekannten französischen Psychologen Théodule Ribot über Wilhelm Wundt zu lesen, dessen Buch ‚Grundzüge der physiologischen Psychologie' (1874) eben erschienen war. Wie sehr diese physiologische Psychologie mit der Erforschung des Unterbewußten verbunden war, geht aus der folgenden Bemerkung Ribots hervor: „Was die psychischen Phänomene vereinigt, spielt sich außerhalb des Bewußtseins ab: das kennt nur die Resultate der Arbeit, die in jenem dunklen Laboratorium, unterhalb des Bewußtseins, verrichtet wird." Die Nähe Jacobsens zu dieser physiologischen Psychologie geht vor allem aus seinen Werken hervor, wird aber auch im Brief an Georg Brandes vom 12. 2. 1878 angedeutet, in dem Jacobsen das „spezifisch Psychologische und auch das Physiologische" als das charakteristische Merkmal des Romans ‚Niels Lyhne' hervorhebt.

In Jacobsens Nachlaß fand sich eine Liste deutschsprachiger psychiatrischer und psychologischer Werke, von Jacobsen mit der Überschrift versehen: „Katalog über Bücher, die am liebsten gelesen werden sollten". Ob Jacobsen diese Bücher von H. Damerow, Th. Piderit, A. Lion, J. C. Santlus u. a. tatsächlich gelesen hat, wissen wir leider nicht. Die Liste bezeugt aber sein Interesse für die moderne wissenschaftliche Psychiatrie und Psychologie.

In einer Tagebuchaufzeichnung aus dem Jahre 1867 überlegte sich Jacobsen, ob er sich dem Studium der Natur oder der Poesie widmen sollte. Dann heißt es: „Könnte ich die ewigen Gesetze, Herrlichkeiten, Rätsel und Wunder der Natur auf die Welt der Dichtung übertragen, dann fühle ich, daß mein Werk mehr als nur gewöhnlich werden würde." Diese Symbiose von Naturstudium und Poesie ist Jacobsen insofern gelungen, als er eine Dichtung schuf, die weitgehend auf einer Psychologie des Unbewußten beruhte und somit nach seiner Auffassung und nach der Auffassung der Zeitgenossen auch naturwissenschaftlich fundiert war.

Erste Auslandsreise – Ausbruch der Krankheit

Das Jahr 1872 und das folgende Jahr bis zum Ausbruch der Krankheit im September 1873 zeigen uns einen Jacobsen voller Aktivität und mit einem wachsenden Selbstvertrauen. Er hatte damals allen Grund, mit seinem Leben zufrieden zu sein. Für die im Herbst 1872 abgeschlossene Algen-Abhandlung über die Desmidiaceen erhielt er, wie schon gesagt, im April 1873 die goldene Medaille der Universität Kopenhagen. Die populärwissenschaftlichen Artikel waren geschrieben und die Darwin-Übersetzungen angefangen. In einem Freundeskreis, zu dem die bedeutendsten jungen Geister des Landes gehörten, galt er nach ‚Mogens' als ein vielversprechender Dichter. Vor allem aber begann im Winter 1872–73 in der Königlichen Bibliothek zu Kopenhagen die vorbereitende Arbeit an dem Roman ‚Frau Marie Grubbe'. Charakteristisch für den Eindruck, den Jacobsen damals auf seine nächste Umgebung machte, ist ein an ihn gerichteter Brief des Freundes H. S. Vodskov aus dem Jahre 1872: „Du bist zuerst und zuletzt gesund, seelisch gesund und für eine selten vielseitige Tätigkeit veranlagt; dies ganz im Gegensatz zu uns krankhaften Menschen, die wir immer über uns selber nachgrübeln."

Aber selbst in dieser fruchtbaren, verheißungsvollen Phase seines Lebens scheint Jacobsens Lebensgefühl weitgehend durch das Gefühl der Einsamkeit und einer tiefgehenden Entfremdung nicht nur von anderen Menschen, sondern dem Leben selbst gegenüber bestimmt gewesen zu sein. Den Ernst des folgenden Briefes an Edvard Brandes (13. März 1873) sollte man trotz der grotesk-humoristischen Einfälle nicht zu gering veranschlagen: „Und ich, der Einsame – ich bin ein Esel – ich bin Darwins Übersetzer, und dies und meine Desmidiaceen sind das einzig Nützliche, was ich jemals tun werde. Ich bin das berühmte Faultier ... Wenn sich dann wenigstens so ein

Esel verlieben könnte, wild, toll, ach Gott! bloß bestialisch, aber stark, gewaltig. Aber kein Appetit, gar keine Lust zum Genuß, richtige Lust, kein Lebensmut, oh so ein Hornvieh, das keine Hörner hat, die es sich ablaufen kann; denn ein Hornvieh, das ist's, was der Esel ist, er ist ein Hahnrei ohne Frau, der Hahnrei aller Männer, der Hahnrei derjenigen, die leben, leiden, wagen und handeln, die kein solches Weichtier sind, das im kühlen Gelée seiner eigenen Vernunft liegt und quatscht." Wenn man diesen Brief mit dem Roman ‚Frau Marie Grubbe' vergleicht, sieht man, wie sehr der Roman ein Gegenstück und ein Gegenbild zum Lebensgefühl seines Verfassers ist, denn die weibliche Titelfigur dieses farbenreichen Romans voller Leidenschaften verwirklicht tatsächlich gerade das, was nach dem eben zitierten Brief ihrem Schöpfer und Erfinder abging. Aufschlußreich ist der Brief auch deshalb, weil er uns zeigt, daß Jacobsen noch vor dem Ausbruch seiner Krankheit an der Sehnsucht nach dem Leben litt, von dem er sich ausgeschlossen fühlte. Diese Lebenssehnsucht und diese Lebenshaltung waren also nicht die Folge der Krankheit, sondern anscheinend ein konstitutiver Bestandteil seines Wesens. Daß zwischen dieser fehlenden „Lebenstüchtigkeit" und der dichterischen Begabung irgendwie ein ursächlicher Zusammenhang bestanden haben mag, darüber hat sich auch Jacobsen Gedanken gemacht, wie der Brief an Edvard Brandes vom 2. August 1880 zeigt. Nachdem er sich über die fehlende Energie und das „zähe Träumerblut" in seinen Adern beklagt hat, schreibt er: „Ich fürchte, daß Talent, selbst ein solches wie das Meinige, eine kostbare Ware ist. Es kostet nicht Einem das Herzblut, wie in Essays und Charakteristiken gesagt wird. Aber irgend etwas wird Einem angetan, durch dich selbst oder durch andere, etwas, was dich unnormal macht, ungefähr so wie sich einfache Leute vorstellen, daß den Luftspringerkindern, während sie klein sind, die Glieder gebrochen werden."

Im Mai 1873 waren die beiden ersten Kapitel des Romans beendet. Bei der Arbeit am dritten Kapitel faßte Jacobsen plötzlich den Entschluß, eine Europareise zu unternehmen. Der Mutter schrieb er am 28. Mai 1873: „Gott weiß, daß es mir ein Bedürfnis ist, ein bißchen über die Grenzen Dänemarks hinaus zu gelangen und etwas europäische Luft zu schnappen." Was Jacobsen damals fehlte, war eben die unmittelbare, sinnlich-geistige Begegnung mit europäischer Kultur und europäischem Leben. Daß er sich außerdem von dieser Reise eine Förderung seiner Kunst erwartete, geht aus dem eben erwähnten Brief an die Mutter hervor: „Ich bin es meinen Fähigkeiten und Kenntnissen schuldig, sie weiter zu entwickeln und zu steigern, so daß ich etwas leisten kann, was taugt – denn an Mittelmäßigkeit gibt es genug."

Ende Juni 1873 begann Jacobsens erste Auslandsreise, die ungefähr vier Monate dauerte und ihn u. a. nach Berlin, Dresden, Prag, Wien, Verona, Bergamo, Mailand, Venedig und Florenz führte. In Dresden schloß er sich den Brüdern Brandes an; der neuvermählte Edvard mit seiner jungen Frau begleitete ihn bis Florenz. Aus Jacobsens Briefen von unterwegs gewinnt man den Eindruck, daß diese Reise für ihn in erster Linie eine Kunstreise war. Edvard Brandes bestätigt, daß „es kaum ein einziges kleines Bild in der entferntesten Ecke eines Galeriezimmers gab, das nicht von Jacobsen sorgfältig betrachtet wurde." Charakteristisch ist auch der Ausruf in einem Brief an die Eltern: „Reisen – das ist das Leben und das Glück." Überhaupt blieb das liebevolle Mitteilungsbedürfnis den Eltern gegenüber unverändert. Aus München schreibt er an die Mutter: „Ich wünsche, Vater könnte hier das bairische Bier schmecken." Und aus Norditalien: „Vater hätte dabei sein sollen, da er ja alte Kirchen so sehr liebt."

Im September 1873 fand dann in Florenz all diese Lebens- und Erlebnisfreude ein jähes Ende. Edvard Brandes beschrieb später die Situation so: „Jacobsen saß auf einem Stuhl, nicht ganz angezogen, war sehr blaß und sah unendlich niedergeschlagen aus, mit einem Blick voller Bestürzung, fast hoffnungslos. ‚Was ist los mit Dir, bist Du krank?' ‚Nein', antwortete Jacobsen und gab sich Mühe, die Ruhe zu bewahren, ‚ich bin nicht krank, aber – ich habe Blut gespuckt.'" Jacobsen entschloß sich, die Reise abzubrechen und nach Thisted zurückzukehren. Um die Eltern nicht zu ängstigen, erwähnt er in den Briefen den Krankheitsanfall mit keinem Wort. „Schließlich bin ich vom Reisen ein bißchen müde geworden", heißt es verharmlosend im Brief vom 24. September 1873. Sein Zustand bei der Heimkehr wird vom Arzt in Thisted folgendermaßen beschrieben: „Als Herr Jacobsen im Herbst nach seiner Auslandsreise in Thisted ankam, war sein Zustand im höchsten Grad beunruhigend. Er war äußerst abgemagert, war kurzatmig, hustete, litt sehr an Nachtschweiß, die Stimme war heiser, und durch die Stethoskopie ließen sich eine Verdichtung der rechten Lungenspitze sowie eine Kaverne beobachten." In den folgenden Monaten gewann er langsam und nur teilweise seine Arbeitskraft wieder. Ein Jahr später konnte er dann wieder nach Kopenhagen fahren, um weiteres Quellenmaterial für ‚Frau Marie Grubbe' zu sammeln, mußte aber im Oktober 1875 nach einem erneuten Blutsturz nach Thisted zurückkehren.

Am 15. Dezember 1875 erschien Jacobsens erster Roman ‚Frau Marie Grubbe'. Durch den strengen Winter war Thisted gerade um diese Zeit von der Umwelt fast völlig abgeschnitten: „Immer noch keine Post, der Fjord gefriert geradezu vor meinen Augen, und durch die Fenster im ersten Stockwerk gucken die Schneeverwehungen." So kam es, daß Jacobsen erst mit Verspätung erfuhr, daß die erste Auflage des Buches schon am 24. Dezember ausverkauft war. Jacobsens dänischer und bald danach auch sein skandinavischer Ruhm war damit begründet.

Illustration von Heinrich Vogeler zu ‚Frau Marie Grubbe'

‚Frau Marie Grubbe'

Die Titelfigur dieses ersten Romans von Jacobsen war bekanntlich eine historische Gestalt, deren Schicksal von Historikern dokumentiert und beschrieben ist. Marie Grubbe gehörte einem alten dänischen Adelsgeschlecht an, wurde 1643 zu Tjele in Jütland geboren, wo sie unter etwas verwilderten Umständen aufwuchs. Als Neunzehnjährige wurde sie mit dem natürlichen Sohn des dänischen Königs, dem späteren Statthalter in Norwegen, Ulrik Frederik Gyldenløve, verheiratet. Die Ehe war schlecht und wurde 1670 mit Genehmigung des Königs aufgelöst. Vorher war von Mitgliedern der juristischen und theologischen Fakultäten ein Gutachten ausgearbeitet worden, das heute noch zusammen mit dem Scheidungsurteil im Reichsarchiv in Kopenhagen zu finden ist. Aus diesen und anderen Urkunden geht hervor, daß sich beide Eheleute um die Wette betrogen. Durch das Scheidungsurteil erhielt Marie Grubbe ihr in die Ehe eingebrachtes Geld zurück, das sie während einer zweijährigen Auslandsreise, die sich im Dunkeln verliert, verbrauchte. Müde, mittellos und schlecht gekleidet tauchte sie dann 1672 bei ihrem Vater, Erik Grubbe, in Tjele wieder auf. Ein Jahr später war sie mit einem Nachbarn, dem landadligen Palle Dyre, verheiratet, aber auch diese Ehe war nicht glücklich. So geriet Marie schließlich in ein leidenschaftliches Liebesverhältnis zu dem Kutscher ihres Mannes, Søren Sørensen Møller. Diese ehelichen und unehelichen Verhältnisse waren allgemein bekannt, und 1690 übersandte der empörte Vater, der sich offenbar über die Zustände mehr aufregte als der Ehemann, dem König einen Antrag, das Marie zustehende Erbe suspendieren zu dürfen; außerdem wünsche er, sie nach Bornholm auszuweisen. Daraufhin wurde ein Scheidungsprozeß eingeleitet, nachdem die königliche Kanzlei dem Ehemann einen ergänzenden, allerdings kurzgefaßten Bericht abgenötigt hatte. Die Unterlagen diese Prozesses, die auch Jacobsen gelesen hat, bilden schon deshalb eine Chronique scandaleuse, weil sie z. T. aus Verhörsprotokollen bestehen, in denen die Dienstleute über konkrete Einzelheiten Bericht erstatteten. Unmittelbar nach der Scheidung zog Marie Grubbe mit ihrem Søren ins Ausland, wo sie, 48 Jahre alt, zum dritten Mal heiratete. Zunächst ernährte sich das Paar nur kümmerlich, etwa indem sie auf Jahrmärkten auftraten. Durch eine kleine Erbschaft, die Marie dennoch erhalten hatte, erwarben sie sich schließlich die Fährstelle und das dazu gehörige Gasthaus am Grønsund auf Falster, wo Marie 1718 in tiefer Armut starb.

Dieses Frauenschicksal hat natürlich die Phantasie der Nachwelt mächtig angeregt und ist in der dänischen Literatur mehrfach behandelt worden. Zunächst, wenige Jahre nach Maries Tod, in einer Epistel Ludvig Holbergs, auf die wir zurückkommen werden. Dann 1824 von Steen Steensen Blicher in seinen bekannten ‚Bruchstücken aus dem Tagebuch eines Dorfschullehrers'. Marie, die hier Sophie heißt, wird von Blicher als das Ziel männlicher Sexualität und diese wiederum als eine zerstörerische Kraft dargestellt. Am Ende heißt es von

Sophie: „Ich fand sie verwüstet, verdorben, verächtlich, rettungslos verloren." – Ganz anders verfuhr Hans Christian Andersen, als er einige Jahrzehnte später in ‚Hønse-Gretes Familie' diese Geschichte so zurechtstutzte, daß sie für ein biedermeierliches Lesepublikum schmackhaft wurde. Dankbarkeit, Menschenliebe und Herzensgüte bestimmen in dieser Erzählung den Charakter und die Lebenshaltung Marie Grubbes.

Diese literarischen Vorläufer haben für Jacobsen, wenn wir von Holbergs kleiner Epistel absehen, keine wesentliche Rolle gespielt. Jacobsen hat sie zwar gekannt, hat es aber vorgezogen, unmittelbar aus den Quellen zu schöpfen. Mit der Sorgfalt und Gründlichkeit eines gewissenhaften Historikers hat er sich durch intensive Bibliotheks- und Archivstudien, durch das Lesen von Memoiren, Tagebüchern, Briefen, sogar Kochbüchern u. ähnl. über das dänische 17. Jahrhundert ein fundiertes Wissen verschafft, das damals in keinem historischen Werk gesammelt vorlag. Der Roman ist daher, was den soziokulturellen Hintergrund betrifft, historisch zuverlässig.

Ähnliche tiefschürfende Vorarbeiten hat Jacobsen im Hinblick auf die Sprache des Romans geleistet. Schon früh war er davon überzeugt, daß „der erstbeste Ausdruck nicht der beste ist, daß es nur einen besten Ausdruck gibt, dem man mit Glück oder Fleiß mehr oder weniger nahe kommt – oder den man vielleicht sogar ganz treffen kann", wie er am 2. Mai 1877 an Georg Brandes schrieb. Ebenso wie Flaubert suchte er unermüdlich nach diesem genau treffenden Wort, le mot propre. Die präzise Nuance war ihm dabei so wichtig, daß er sich nicht scheute, mundartliche und andere Wörter heranzuziehen, die dem gewöhnlichen dänischen Leser schon damals nicht ohne weiteres verständlich waren. So wird am Anfang des Romans die Farbe des wolkenlosen Himmels als „blaahvidst" bezeichnet. Edvard Brandes, der Korrektur las, vermutete dahinter einen Schreibfehler des Wortes „blaahvid" (blauweiß), aber Jacobsen belehrte ihn eines Besseren: „Blaahvidst" ist etwas Ähnliches wie blaahvid; wenn ich aber „blaahvid Himmel" sage, so entsteht dadurch der Eindruck einer festen Wölbung; „blaahvidst" soll dagegen den Eindruck des

Rauchartigen, Milchigen eines nicht ganz blauen Himmels hervorrufen, wie es ihn hierzulande gibt." Marie Herzfeld, die sonst als eine kompetente Übersetzerin galt, hat das -st als eine Superlativendung mißverstanden und in ‚J. P. Jacobsens Gesammelte Werke' 1907 das Wort mit „der blauweißeste Himmel" übersetzt!

Besondere Mühe gab sich Jacobsen mit der gesprochenen Rede der Romanfiguren, die bei seiner Vorliebe für die szenische Darstellung viel Raum einnimmt. Wie er dabei zu Werke gegangen ist, erklärte er dem Kritiker und Dichter Carl Ploug in einem Brief vom 30. April 1878. Er sagt zunächst, daß er die Buch- und Briefsprache des 17. Jahrhunderts für die Wiedergabe mündlicher Rede nicht angewandt habe, was ein Blick auf die im Roman vorkommenden originalen Briefe auch bestätigt. Dann heißt es: „Ich bin andere Wege gegangen. In alten Tagebüchern, Verhörsprotokollen und Briefen ... finden sich nicht selten gesprochene Sätze teils unmittelbar, teils berichtend wiedergegeben ... Solche Sätze habe ich gesammelt und mein Ohr daran gewöhnt, und aus ihnen und aus alten dänischen Mundarten, so wie diese Mundarten noch gesprochen werden und in meiner Kindheit von alten Leuten gesprochen worden sind, versuchte ich, die gesprochene Sprache der damaligen Zeit wieder zu hören. Ich bin sicher, ihr ziemlich nahe gekommen zu sein, sowohl was die Haltung und den Satzbau, als auch die Betonung und die Wahl der Bilder betrifft."

Jacobsens Bemühungen um historische Treue und um eine Sprache, die der gesprochenen Sprache des 17. Jahrhunderts nahe kam, sollten allerdings nicht mit einseitig historistischer Nachahmung verwechselt werden. Was Jacobsen vom angeblichen „Realismus" seines Romans hielt, geht aus dem Brief an Edvard Brandes vom 11. April 1877 hervor: „Und dann Realismus: Gott weiß, was heutzutage alles realistisch heißt; falls diese Menschen jemals etwas zu sehen bekämen, was realistisch gemacht wäre, dann würden ihnen Hören und Sehen vergehen. Ach nein, um realistisch zu sein, sind größere Kräfte erforderlich und vor allem ein viel handlicherer Stoff als der, mit dem ich mich herumgeschlagen habe; ich würde eher sagen, daß mein Buch das 17. Jahrhundert für den Salongebrauch dämpft und harmonisiert." Diese Dämpfung der krassen Realität der historischen Quellen schließt andererseits nicht aus, daß Jacobsen durch den Rückgriff auf das 17. Jahrhundert Leidenschaften stärker darstellen und mit kräftigeren Farben malen konnte, als es ihm möglich gewesen wäre, falls er ein Thema aus der eigenen Gegenwart gewählt hätte. Was die Sprache betrifft, so scheint deshalb Rilkes Bemerkung an die Gräfin Aline Dietrichstein im Brief vom 12. September 1916 durchaus zutreffend zu sein: „Jacobsen, indem er da die Ausdrucksweise des 17. Jahrhunderts nachahmte, brachte in ihr nicht nur den Geist jener Zeitläufe hervor, er machte sich daraus ein eigentümliches Mittel, das Leben überhaupt stärker und sinnlicher darzustellen."

In seiner bekannten Abhandlung über den historischen Roman setzt sich Georg Lukács mit ‚Frau Marie Grubbe' recht ausführlich auseinander. Er meint bei Jacobsen ebenso wie bei Maupassant und Flaubert „dieselbe Tendenz der Privatisierung der Geschichte" feststellen zu können. Der historische Hintergrund des Romans ist nach Lukács „rein willkürlich" und „nur eine dekorative Kulisse". Zwischen der Privathandlung und den historischen Ereignissen bestehe ein nur chronologischer Zusammenhang: „Die im Mittelpunkt stehende Handlung hat mit diesen Ereignissen nichts zu tun." Was der marxistische Literaturhistoriker vor allem vermißt, ist der Zusammenhang des dargestellten Frauenschicksals „mit den allgemeinen gesellschaftlich-geschichtlichen Problemen" der Zeit. Es stimmt sicherlich, daß Marie Grubbe nicht als das Produkt historischer und gesellschaftlicher Umstände dargestellt wird. „Privat" ist ihr Schicksal aber schon deshalb nicht, weil es auf ein Allgemeines bezogen bleibt. Dieses Allgemeine ist aber nicht – und darin hat Lukács recht – mit den „gesellschaftlich-geschichtlichen Problemen" der Zeit identisch, sondern ist die zugleich psychologisch und physiologisch verstandene Natur des Menschen. Statt von einer „Privatisierung" könnte man deshalb in diesem Fall mit mehr Recht von einer

„Naturalisierung" der Geschichte sprechen. Marie Grubbe ist so wenig wie die anderen Figuren in Jacobsens Werken ein homo sociologicus; sie ist vielmehr ein von manchmal widerspruchsvollen und irrationalen Naturkräften bestimmtes Wesen und der Roman somit eine Studie der menschlichen Natur unter gegebenen, d. h. historischen Umständen.

Wie in ‚Mogens' geht es auch in ‚Frau Marie Grubbe' der Titelfigur in erster Linie darum, den Weg zum „Leben" und damit zur Natur der eigenen Individualität zu finden, bzw. frei zu machen. Während dieses Problem aber in der Erstlingsnovelle auf eine fast märchenhaft schwerelose Weise „gelöst" wurde, ist der Roman in der Behandlung dieser Frage dramatischer und wirklichkeitsnäher. Jacobsens Verfahren entspricht dabei seiner etwas eigenwilligen Auslegung der Darwinschen Formel vom „Kampf ums Dasein" im Brief an Edvard Brandes den 22. Dezember 1879: „Ich glaube nicht, daß ein Buch uns interessieren kann, wenn es nicht eine treue Darstellung enthält, wie ein Mensch oder mehrere Menschen den Kampf ums Dasein gestalten, d. h.: einen Kampf gegen das, was da ist, um auf ihre eigene Weise da zu sein."

Worin besteht denn nun die „eigene Daseinsweise", für deren Verwirklichung Marie Grubbe kämpft? In einem offenherzigen Gespräch mit Sti Høg verrät die reife Marie Grubbe ihre geheimen Wünsche: „Ich möchte, daß das Leben mich so stark fassen sollte, daß ich niedergebeugt oder emporgehoben werde, so daß in meiner Seele für nichts anderes Raum bliebe als eben für das, was mich erhoben hat oder mich niederbeugte; ich wollte in meinem Kummer hinschmelzen oder mit meiner Freude verbrennen. Versteht Ihr, Sti Høg, das, glaube ich, heißt leben; das ist das Leben, nach dem ich dürstete" (I, 198). Mit diesen Worten ist zugleich der Maßstab angegeben, an dem Marie Grubbe ihre Männer mißt. Daß dieser Maßstab mit den Normen und Konventionen der Gesellschaft nicht identisch ist, zeigt sich dann am nachdrücklichsten in der Liebe der Adelsdame zum einfachen, ja primitiven Søren, durch die Marie Grubbe ihre „eigene Daseinsweise" schließlich verwirklicht. Wenn Jacobsen die Gedanken und Gefühle Maries nach der Begegnung mit Søren beschreibt, wiederholt er denn auch dem Sinne nach die eben zitierten Sätze: „Sie hegte keinerlei Zweifel an der Stärke und Dauerhaftigkeit ihrer Leidenschaft; diese hatte sie so voll und auf eine so unwiderstehlich wirkliche Weise erfüllt, daß gar kein Platz für nachdenkliche Verwunderung übrig blieb" (I, 285).

Das Erfülltsein von einer Leidenschaft, ohne „Raum" für Gedanken, war also Marie Grubbes existentielles Lebensziel. Ihre kompromißlose Bereitschaft, alle sozialen und materiellen Vorteile über Bord zu werfen um der Leidenschaft willen, die ihre Lebenssehnsucht stillen konnte, macht sie zweifellos zu einer Art „Heldin". Als eine solche wurde sie denn auch von den Brüdern Brandes und von Vertretern der beginnenden Frauenemanzipation wie etwa der Norwegerin Camilla Collett (1813–1895) unmittelbar nach der Veröffentlichung des Romans gefeiert. Im Roman selbst wird aber jede Heroisierung sorgfältig vermieden. Von Maries Zustand unmittelbar vor der Begegnung mit Søren heißt es vielmehr schonungslos: „Rohheit im Denken wie im Sprechen, ein plumper und niedriger Zweifel an dem Edlen und Großen, und eine freche Verachtung gegen sich selbst, – das hatten ihr diese 16 Tjele-Jahre gebracht. – Und noch Eines. Es war eine dickblütige Sinnlichkeit über sie gekommen" (I, 276). Erst nach dem Verlust ihrer Schönheit, Sensibilität und Idealität ist Marie sozusagen für Søren „reif" geworden. Die Erfüllung ihres Lebenstraumes gerät dadurch in ein eigentümliches Zwielicht, das zu Jacobsens eigener, ambivalenter Haltung dem vitalistischen Lebenskult gegenüber ganz gut paßt. Von einer triumphierenden Emanzipation des Fleisches kann keine Rede sein, wohl aber von einer opferwilligen, alle gesellschaftlichen Normen hinter sich lassenden Treue zur Triebhaftigkeit der eigenen Natur. Angesichts der traditionellen Rolle der Frau in der damaligen bürgerlichen Gesellschaft war das natürlich kühn. Ob aber damit eine Vereinnahmung Marie Grubbes für die damalige Frauenemanzipation gerechtfertigt ist, scheint trotz Jacobsens Sympathie für die Ziele der Frauenbewegung mehr als zweifelhaft. Marie bricht zwar wie Ibsens Nora aus einer unbefriedigenden Ehe aus. Im Unterschied zu Nora folgt Marie aber ausschließlich dem Ruf ihrer Natur; ihr Weg führt denn auch nicht zur Freiheit und Selbständigkeit, sondern zur liebevoll-leidenschaftlichen Unterwerfung unter die Herrschaft des begehrten Mannes, einer Unterwerfung, die Marie ausdrücklich bejaht, und in der sie die Erfüllung ihrer Bestimmung erblickt. Von einer eigentlichen Emanzipation der Frau sollte man deshalb im Zusammenhang mit diesem Roman lieber nicht reden. Höchste Priorität hatte bei Jacobsen das Gesetz der Natur und der Individualität. Was die Auffassung vom Geschlechtscharakter der Frau betrifft, unterschieden sich Jacobsens Ansichten kaum von den damals gängigen. Vor allem aber war die Emanzipation der Frau nicht sein Thema.

Ein Jacobsen-Thema par excellence dagegen war die Melancholie. In seinem Essay ‚Jacobsen und die Schwermut' (in: ‚Experimentum Medietatis', München 1947) hat Walther Rehm generell die Schwermut auf „ein getrübtes, gespaltenes Verhältnis des Menschen zum Göttlichen" zurückgeleitet. Seine idealistische interpretatio christiana befriedigt aber keineswegs als Erklärung für Marie Grubbes gelegentliche Anwandlungen von Melancholie, deren Grund nach Rehm darin liegt, „daß ihre Bindung an Gott gelockert, ihre Unmittelbarkeit zu ihm getrübt sei". Marie Grubbe hatte aber schon diese Erklärung von ihrem eigenen Pfarrer gehört und sie zu leicht befunden: „Herr Jens, er sagte immer, es wäre das Heimweh nach dem Himmelreich, wo die rechte Heimat einer jeden Christenseele sei, aber ich glaube es kaum." Marie Grubbe ahnt, daß die Wurzeln dieser Melancholie in der unbefriedigten Lebenssehnsucht zu suchen sind, an der sie bis zu ihrer Begegnung mit Søren leidet. Nicht „Gott", sondern „Leben" ist ihr der höchste Wert, und aus der Lockerung oder Störung der Bindung ans „Leben", nicht an „Gott", entsteht ihre Schwermut. – Aufschlußreich ist hier der Vergleich mit Sti Høg, der im Roman als der Vertreter des in der europäischen Literatur des 19. Jahrhunderts so verbreiteten Weltschmerzes auftritt. Selbst spricht er von einer „geheimen Sozietät", die er die „Kompanie der Melancholischen" nennt; die Mitglieder dieser Sozietät unterscheiden sich von anderen Menschen u. a. dadurch, daß sie „die Freude und die Lust des Lebens mit ihren Herzenswurzeln trinken, während andere sie nur mit ihren groben Händen greifen." Durch das Bewußtsein der Vergänglichkeit aller Wollust verwandelt sich aber diese Lebensfreude in Melancholie. Sti Høg vertritt einen hedonistischen und epikuräischen Standpunkt, dem der Genuß an sich das Ziel ist, und hinter dem die Acedia schon lauert. Für Marie Grubbe dagegen ist der Genuß nicht isolierbar, sondern ein in ihren Lebenstraum integriertes Element. Das flüchtige Wiedersehen Sti Høgs und Maries am Ende des Romans hat vor allem die Funktion, diesen grundsätzlichen Unterschied der beiden Lebenshaltungen noch einmal hervortreten zu lassen. Dem verbrauchten und vergrämten Sti Høg, dessen Körper und Gesicht die Spuren abstumpfender Ausschweifungen, den „Hauptinhalt seines Lebens", deutlich zur Schau stellen, steht hier die sozial gesunkene, abgearbeitete, aber in sich ruhende und ihr Schicksal bejahende Marie Grubbe gegenüber. Der Erzähler läßt den Leser nicht im Zweifel, wie die beiden Personen zu bewerten sind.

Kompositorisch besteht der Roman aus 18 nur locker miteinander verbundenen Kapiteln, im Untertitel als ‚Interieurs aus dem 17. Jahrhundert' bezeichnet. Wie er sich den Aufbau vorstellte, erklärte Jacobsen dem Freund Vodskov in einem Brief vom 6. Januar 1877: „Seit der Niederschrift der ersten Zeile des Buches war es mein Plan, daß ich von einer ganzen Menge allseitiger kulturhistorischer Episoden und Ausmalungen beim Fortschreiten des Werkes Marie immer mehr als die Hauptperson in den Mittelpunkt stellen wollte." Diesen Plan hat Jacobsen auch verwirklicht, und so überwiegen am Anfang die Schilderungen des historischen Hintergrundes und die Beschreibung von Zuständen überhaupt. Hier finden sich denn auch Interieurs, insgesamt drei, in denen Marie gar nicht auftritt. Für alle Interieurs gilt aber, daß sie in szenisch-dramatischer Form Bilder der Leidenschaft vorführen, die auf Maries Lebenssehnsucht oder auf die Leidenschaftlichkeit ihrer Natur einen direkten oder indirekten Bezug haben.

Die Art, in der Jacobsen das Seelenleben seiner Figuren darstellt, hat schon von Anfang an die Aufmerksamkeit und Bewunderung seiner Leser erregt. Hugo von Hofmannsthal meinte z.B., daß bei Jacobsen die „Form" des Seelenlebens dargestellt werde und nicht wie in den älteren psychologischen Romanen der Inhalt: „Das Sichdurchkreuzen, das Aufflackern und Abirren der Gedanken, die Unlogik, das Brodeln und Wallen der Seele ... Er schildert eigentlich unschilderbare Dinge, Mächte." Hofmannsthal nennt keine Beispiele, aber schon das erste Kapitel des Romans zeigt, was er gemeint haben mag. Die pubertäre Marie gibt sich hier ihren traumähnlichen, erotisch getönten Phantasien hin, die dem Leser einen Eindruck von dem vermitteln, was sich in den tieferliegenden Schichten dieser 14jährigen Mädchenseele bewegt. Wie später Arthur Schnitzler (‚Leutnant Gustl', 1901) und vor allem James Joyce (‚Ulysses', 1922) läßt Jacobsen hier die springenden Gedankenfetzen und die fluktuierenden Assoziationen der Hauptperson in einem Stil lebendig werden, der von der Literaturwissenschaft gewöhnlich als „innerer Monolog" und „stream-of-consciousness" bezeichnet wird. Das folgende Zitat besteht aus drei Teilen: zunächst dem Schluß der von Marie erdichteten Griseldis-Geschichte, dann den spontan und unzusammenhängend eingeschalteten Einzelheiten aus Maries Alltag und schließlich dem Anfang der Bruhnhylde-Erzählung: „Und der Wind ... die Büsche zerren und zerfetzen ihr Kleid, nein, sie hat ja kein Kleid an ... wie es meinen braunen Rock zerfetzte – es muß gewiß schon Nüsse in Fastruplund geben, so viele Nüsse, die auf dem Viborger Markt da waren ... Gott weiß, ob Anes Zähne sie jetzt in Ruhe lassen ... Nein! Bruhnhylde! – das wilde Pferd sprengt davon ..." Stilhistorisch gehörte Jacobsen mit einer solchen Technik zur damaligen europäischen Avantgarde.

Ein anderer Österreicher, Robert Musil, führte in seinem Tagebuch 1905 die Beobachtung Hofmannsthals mit folgenden Bemerkungen weiter: „Hier ist schon nicht mehr ein Mensch dargestellt, sondern das Bildliche an ihm. Ja, mehr noch, auch dieses ist wie unter einer weiten Perspektive auf einen Punkt reduziert, und man sieht gleichsam ein Stück der Kurve, nach der sich die Seele bewegt, was man in der gewöhnlichen Nähe niemals erkennt." Musil bezieht sich hier auf den Auftritt, in dem Marie Grubbe, vor Eifersucht fast wahnsinnig, in die galante Schäferidylle ihres Mannes mit der leichtfertigen Karen Fiol einbricht. Von Maries Wut ist nicht unmittelbar die Rede, aber durch ihre seltsamen Bewegungen wird „die Kurve, nach der sich die Seele bewegt", schon sichtbar: „Sie zog eine lange, schwere Stahlnadel mit rubinverziertem Kopfe aus ihrem Haar. Diese hielt sie hoch vor sich wie einen Dolch und eilte seltsam trippelnden, fast hüpfenden Laufs auf das Haus zu; es war als könne sie nicht sehen, denn sie rannte nicht geradeaus, sondern in wunderlich unsicheren Bogen zur Haustür."

Hofmannsthals und Musils Beobachtungen, daß uns Jacobsen das Seelenleben eines Menschen durch „Form" und „Bild" zeigt – Musil geht so weit, daß er Marie Grubbe eine Arabeske und keinen Menschen nennt – sind durchaus zutreffend. Sie bedürfen aber einer ergänzenden Berücksichtigung des Erzählers und seiner nicht leicht durchschaubaren Rolle als eines psychologischen Kommentators. Gerade der Wechsel bildhafter und szenischer Darstellung einerseits mit Erzählerkommentaren andererseits charakterisiert Jacobsens Kunst der psychologischen Darstellung und entspricht gewissermaßen seiner eigenen Doppelrolle als Dichter und „physiologischer Psychologe" (vgl. S. 43). Als Beispiel kann uns die berühmte Messerstichszene dienen:

Marie Grubbes erster Ehemann, Ulrik Frederik, war 14 Monate verreist. Die warmblütige junge Ehefrau litt inzwischen alle Qualen der Sehnsucht, die sie zeitweilig bis an den Rand des Wahnsinns führten. Die uns aus der „pathologischen Skizze" des Clara-Fragments bekannte Fensterszene stellte Jacobsen fast unverändert in diesen erotisch-sexuellen Kontext hinein. Als Ulrik Frederik schließlich – betrunken – zurückkehrt, verletzt er im stürmisch-aufdringlichen Besitzergreifen seiner Ehefrau die Hand Maries. Im folgenden verselbständigt sich diese Hand gleichsam und gewinnt immer mehr die

Funktion, den seelischen Zustand Maries zu symbolisieren. Als Ulrik Frederik am nächsten Morgen die beschädigte Hand betrachten und küssen will, versteckt sie Marie in die Falten ihres Kleids und schaut ihn an, „mit dem Blick einer Tigerin, die ihre wehrlose Nachkommenschaft verteidigt." Spielerisch bemitleidet Ulrik Frederik die arme Hand: „Marie stützte, scheinbar gedankenlos, die kranke Hand auf das Fensterbrett und spielte mit den Fingern, wie auf einem Claviercordium, hin und her, aus der Sonne heraus und in den Schatten des Fensterrahmens hinein und aus dem Schatten heraus wieder in die Sonne hinein, hin und her.

Ulrik Frederik schaute mit lächelndem Wohlbehagen auf die schöne, blasse Hand, die wie ein behendes, geschmeidiges, kleines Kätzchen auf dem Gesimse spielte und hüpfte, sich krümmte wie zum Sprung, sich drehte . . ., einen Buckel machte, einen Anlauf zum Brotmesser nahm, den Stiel ins Rollen brachte, zurück kroch, sich flach auf das Brett legte, sich langsam wieder zum Messer stahl, sich mit einem geschmeidigen Griff um das Heft herumschlang, die Klinge hob und sie blank in der Sonne funkeln ließ, dann mit dem Messer auffuhr . . .

Im selben Nu blitzte das Messer auf seine Brust herab, er wehrte sich aber mit dem Arm, und das Blatt schnitt durch seine langen Spitzenmanschetten in den Ärmel hinunter und er hieb es beiseite auf den Boden, sprang mit einem Schreckensschrei auf, so daß der Stuhl zurückflog, all das in einer kurzen Sekunde, wie mit einer einzigen Bewegung" (I, 167f.).

Mit einem „schneidenden, toten Lachen" sinkt Marie dann ohnmächtig zu Boden. Datierte Entwürfe im handschriftlichen Nachlaß erlauben den Schluß, daß Jacobsen im Zusammenhang mit der „pathologischen" Clara-Skizze schon 1870 diese Messerstichszene entworfen hatte, zu einer Zeit also da er noch nicht an den Roman dachte. Konkret und eindeutig zeigen diese und andere Entwürfe, wie sich der Romancier Jacobsen durch sein psychologisches Interesse anregen ließ. Ein „Fall" wird dargestellt, eine psychologische Analyse folgt. Ermöglicht wurde diese Doppelheit von Darstellung und Analyse durch die Erzähltechnik Jacobsens.

Die für Jacobsens Werke charakteristische Erzählsituation ist die auktoriale, d. h. der Erzähler begleitet das Geschehen mit seinen Kommentaren und Betrachtungen. Der Erzähler bedient sich dabei oft der sog. Innensicht, er weiß also, was die Figuren denken und fühlen. Er ist aber bei Jacobsen dennoch nicht allwissend. Gerade das Nicht-Wissen des Erzählers spielt eine wichtige Rolle. So weiß zwar der Erzähler, daß der „sinnlose Trieb" Maries, „das kalte, blinkende Blatt in die weiße Brust zu stoßen", nicht dem Wunsch entsprang, den Mann zu töten oder zu verletzen. Statt uns aber eine eigentliche Erklärung zu geben, hält er uns zunächst mit hypothetischen Vermutungen hin, um schließlich die rätselhafte Irrationalität der menschlichen Seele als ein letztlich nicht zu ergründendes Phänomen für sich stehen zu lassen: „... vielleicht nur weil das Messer kalt und die Brust warm war, oder möglicherweise weil ihre Hand krank und schwach war, und die Brust stark und gesund, aber in erster Linie weil sie es nicht lassen konnte, weil ihr Wille keine Macht hatte über ihr Gehirn, oder ihr Gehirn keine Macht über ihren Willen" (I, 168). Die auktoriale Erzählsituation dient in diesem Roman nicht nur der Aufklärung und der Erklärung der Ereignisse sondern manchmal geradezu dem Gegenteil: der Verunsicherung des Lesers, der Vieldeutigkeit der Motivation, der rätselhaften Paradoxie und schließlich der Irrationalität menschlichen Verhaltens.

Als Marie am Ende ihren Søren gefunden hat, „beruhigt" sich auch der Erzähler. Die zweifelnden Fragen und skeptischen Vermutungen bleiben aus. Von der Ehe Maries und Sørens wird fast nur in geraffter Form berichtet, ihr Eheglück mehr postuliert als eigentlich dargestellt: „Sie lebten im Ganzen sehr glücklich; denn Marie fuhr fort, ihren Mann über alles in der Welt zu lieben, und wenn er sich auch oft betrank und sie schlug, so machte das nicht so viel; Marie wußte ja, das sei Alltagsbrauch in der Gesellschaftsschicht, in die sie sich hatte einschreiben lassen" (I, 324). – Die vielen Fragen des wie und warum, die sich beim Leser einstellen mögen, sparte Jacobsen für das letzte Interieur des Romans auf, in dem er sie dem klugen dänisch-norwegischen Aufklärer, Holberg, überließ.

Holberg hatte Marie Grubbe persönlich kennengelernt, als er sich im Jahre 1711 eine Zeitlang in ihrem Haus aufhielt. In einer seiner moralphilosophischen Episteln charakterisierte er sie als „eine hochadlige Dame, die einen unüberwindlichen Abscheu vor ihrem ersten Ehegatten empfand, obwohl er unter allen Untertanen des Reiches der vornehmste und zugleich der galanteste war." In ihrer dritten Ehe war sie nach Holberg mit einem „gemeinen Matrosen" (= Søren) verheiratet, „mit dem sie nach ihrer eigenen Aussage viel vergnügter lebte als in ihrer ersten Ehe, obwohl er sie täglich mißhandelte." Holberg verurteilt nicht und moralisiert auch nicht. Mit einem gewissen souveränen Humor sieht er in Maries Lebenslauf einfach das Beispiel eines „verdorbenen Geschmacks". Vor allem wundert sich der Menschenkenner und Komödienschreiber, der mit den Torheiten seiner Mitmenschen bestens vertraut war, keineswegs: „Deshalb verwundert es mich auch nicht, wenn ich von seltsamen Ehen höre. Denn damit ist es bestellt wie mit Essen und Trinken. Was dem einen gefällt, verabscheut der andere."

Aus diesem toleranten, humorvollen, alles verstehenden und fast alles verzeihenden Holberg wird in Jacobsens Roman ein etwas anderer Typ. Jacobsens Holberg ist ein einseitiger Verstandesmensch, dem die Handlungsweise Marie Grubbes unverständlich bleibt: „Ich muß bekennen, sagte Holberg, daß ich ganz unvermögend bin zu begreifen, wie Ihr habt einen gemeinen Stallknecht und Bettler einem so perfekten Cavalier präferieren können, wie es seiner Exzellenz der Statthalter ist."

Das Stichwort in Marie Grubbes darauf folgender Erklärung ist das Wort „Natur", bzw. „natürlich", das in Holbergs Epistel überhaupt nicht vorkommt. Vor ihrem ersten Mann habe sie einen unüberwindlichen Dégout und „natürlichen" Abscheu empfunden. „Mein jetziger Mann dagegen, für ihn wurde ich von einer so hastigen und unvermuteten Neigung entzündet, daß ich es nicht anders als einer natürlichen Attraktion zuschreiben kann, der nicht zu widerstehen war" (I, 330). Diesen Hinweis Maries auf eine unwiderstehliche Naturkraft läßt Jacobsens Holberg nicht gelten; er fertigt ihn als „Hirngespinst“ schroff ab; der Verstand soll über die Natur gebieten. Anschließend zieht dieser Holberg die moralischen Folgen aus Maries Verhalten. Er macht sie darauf aufmerksam, daß ihm der Hinweis auf den „natürlichen Abscheu“ und die „natürliche Attraktion“ als Argument schon deshalb nicht annehmbar ist, weil es eine jede Moral zunichte machen würde. Darauf findet Marie keine Antwort. Er bedrängt sie schließlich mit der Frage nach ihrem Gottesglauben, und sie antwortet ihm ausweichend mit Worten, die Rilke später fast unverändert in ‚Malte Laurids Brigge‘ wiederholt: „Ich glaube, jeder Mensch lebt sein eigenes Leben und stirbt seinen eigenen Tod, das glaube ich.“

Der Erzähler selbst nimmt zu diesem Disput keine Stellung. Zwischen den sich gegenseitig ausschließenden Positionen wird auch nicht vermittelt. Die Sympathie, die der Leser im Laufe des Romans für die Titelfigur unwillkürlich gewonnen hat, läßt jedoch den Moralisten und Vernunftmenschen Holberg in Jacobsens Roman als einen Menschentyp erscheinen, dessen Fassungsvermögen im Hinblick auf elementare Grundkräfte des Lebens beschränkt bleibt. Nicht daß die Vernunft und die Moral von Jacobsen kritisiert werden; nur wird ihre Grenze markiert, eine Grenze, die Marie hinter sich gelassen hatte in einem, wie sie meinte, höheren Auftrag ihrer Natur und ihrer Individualität. – Dieser Gegensatz zwischen dem aufklärerischen Rationalismus einerseits und einer durch die Natur des Menschen bedingten Irrationalität andererseits findet sich in dieser Form nicht in Holbergs Epistel, sondern ist von Jacobsen als die Perspektive des Romanschlusses herausgearbeitet worden.

Damit hatte sich Jacobsen, gewollt oder ungewollt, vom Neurationalismus des „Modernen Durchbruchs“ distanziert. Georg Brandes mochte denn auch nicht den Schlußauftritt des Romans. In der Abhandlung über die Männer des „Modernen Durchbruchs“ schreibt er: „Wie lohnend wäre es nicht gewesen, ... den Vertreter des Verstandes das Urteil fällen zu lassen über diesen ganzen Hexensabbath von Farben, Bildern, verwegenen Ausdrücken sonderbarer Wahrnehmungen und sonderbarer Leidenschaften." Dadurch wäre nach Brandes die Möglichkeit einer gewissen „Selbstkritik" des Romans gegeben. Brandes wünschte offensichtlich eine Stärkung Holbergs und der aufklärerischen Position im Roman, was man verstehen kann, wenn man seinen eigenen ideologischen Standpunkt in Betracht zieht. Ein solcher Schluß hätte aber leicht zu einem inneren Widerspruch des Romans führen können, in dem ja gerade das Unzureichende der Ratio deutlich wird, wenn es darum geht, das Leben einer Individualität wie Marie Grubbe darzustellen und zu begreifen.

Die Jahre der Krankheit

Der Ausbruch der Krankheit im September 1873 war ein Wendepunkt in Jacobsens Leben. Die elfeinhalb Jahre, die ihm noch blieben, wurden zu einem zähen, aber hoffnungslosen Kampf gegen eine Krankheit, die zeitweilig nachzulassen schien, um dann aber verstärkt zurückzukehren. Die Rücksicht auf den sich unerbittlich verschlechternden Gesundheitszustand bestimmte nun weitgehend Jacobsens äußeren Lebenslauf. Zwei Winter verbrachte er zunächst im Süden in der Hoffnung auf eine Genesung, die sich dann doch als eine Illusion erwies: „Mein Arzt hat erklärt, daß eine vollständige Genesung möglich ist, falls ich mich nicht den ständigen Rückfällen aussetze, die der Winteraufenthalt hier im Lande fast notwendig mit sich bringt", erklärte Jacobsen dem Verleger Hegel am 23. August 1877. So fuhr er denn im September 1877 nach Montreux, wo er bis Mai 1878 blieb, und wo er das zweite und dritte Kapitel seines neuen Romans ‚Niels Lyhne' schrieb. Nachdem er die folgenden Sommermonate in Thisted verbracht hatte, ging dann im September 1878 die Reise über Lyon, Avignon, Marseille, Genua, Pisa, Siena nach Rom, wo er den größten Teil des Winters verbrachte. Er verkehrte hier im Kreise skandinavischer Künstler, darunter auch Ibsen. In einem Brief an Edvard Brandes vom 30. 12. 1879 berichtet Jacobsen, wie er auf der Generalversammlung des Skandinavischen Vereins in Rom Ibsens Bemühungen um das Stimmrecht der Frauen unterstützt habe: „Wie reizend unverschämt er seinen Gegnern gegenüber war." Ein näheres Verhältnis zwischen den beiden hat sich dennoch nicht entwickelt. Jacobsen scheint auch hier zurückgezogen gelebt zu haben. Enttäuscht schrieb Edvard Brandes, der ihn in Rom drei Tage besuchte, seinem Bruder Georg am 1. Mai 1879: „Ich hatte gedacht, er wäre einigermaßen europäisch und ein Weltmann geworden;

er war aber genau so sonderlich und wortkarg wie immer." – Am Ende des Römischen Aufenthaltes fuhr Jacobsen über Neapel und Pompeji nach Capri. Abmagerung, Kopfschmerzen und Appetitlosigkeit hatten ihn aber so erschöpft, daß er nach einem kurzen Aufenthalt in Rom schließlich im Juni 1879 nach Thisted zurückkehren mußte. Das war Jacobsens letzte Auslandsreise.

Den größten Teil der Krankheitsjahre verbrachte Jacobsen in Thisted. Das Verhältnis zur nächsten Familie blieb unverändert herzlich; besonders zum Bruder William wurde die Beziehung in den letzten Jahren noch inniger als zuvor. Das Elternhaus, in dem eine gemeinsame Wohnung für die beiden Brüder eingerichtet wurde, war ihm in doppeltem Sinne ein Zufluchtsort: hier zog er sich nach den schlimmsten Krankheitsanfällen zurück, um wieder zu Kräften zu kommen, und hier vor allem arbeitete er. Hier hat er denn auch den Roman ‚Niels Lyhne' vollendet, der im Dezember 1880 erschien.

Der geistige und intellektuelle Schwerpunkt seines Daseins blieb aber Kopenhagen. Um diese Stadt kreisten seine Gedanken ständig. Als er sie im September 1875 verließ, hat es fast sechs Jahre gedauert, bis er die geliebte Stadt wiedersah. Vor allem aus gesundheitlichen Gründen hielt er sich in diesen Jahren der dänischen Hauptstadt fern, wie zahlreiche Briefäußerungen bezeugen, denn dort konnte er weder die Wärme des Südens noch die liebevolle Pflege und die regelmäßige geordnete Lebensführung finden, die ihm in Thisted zuteil wurden. Als er sich nach längerer Überlegung schließlich doch entschloß, wieder nach Kopenhagen zu gehen und dort tatsächlich auch die Zeit vom Juni 1881 bis Juli 1884 verbrachte, scheint dahinter die Erkenntnis gestanden zu haben, daß ihm unter allen Umständen nur noch eine knapp bemessene Lebenszeit übrig blieb. Die Freunde in Kopenhagen bereitete er auf seinen veränderten Zustand vor, und zwar im Tonfall einer souveränen Selbstironie, die er bis zuletzt der Außenwelt gegenüber beibehielt. Unmittelbar vor der Abreise von Thisted schrieb er an Agnes Møller, die Frau seines Jugendfreundes Vilhelm Møller: „Ich bin ja sehr kurzatmig und vermag nicht, weit zu gehen, besonders nicht wenn der Wind weht; ich ermüde auch schnell .... Aus Cafébesuchen und nächtlichen Ausschweifungen, wie sie Møller befürchtet, wird gar nichts werden. Sie werden sich wundern, was für ein umfangreiches Repetitorium menschlicher Gebrechlichkeiten ich geworden bin; in wenigen Tagen werden Sie aber auch sehen, daß die Maschinerie nur dann auseinanderzufallen droht, wenn ich in Bewegung bin; im Zustand der Ruhe sieht es noch so aus, als ob sie eine recht gute Maschine wäre. Aber jetzt will ich keine weiteren Kommentare zu dem Bild liefern, das Ihnen in wenigen Tagen erscheinen wird."

Unmittelbar nach der Ankunft in Kopenhagen berichtete Jacobsen in einem Brief an den Bruder, daß er viele Bekannte getroffen habe „auf den Straßen und in den Gassen, wo ich mich mit großer Langsamkeit bewege." Edvard Brandes bezeichnete das als „vornehme Ruhe". Auch sonst schien Jacobsen ein Anderer geworden zu sein, denn die frühere Schüchternheit und linkische Unsicherheit waren nun einem neuen Selbstbewußtsein gewichen, dem allerdings die Selbstironie gewisse Grenzen setzte, wie der Brief an Edvard Brandes vom 30. Dezember 1879 zeigen mag: „Ich betrachte mich als zur Elite der Dichter gehörig, ich bin Grande d'Espagne und behalte den Hut auf, selbst in der Gegenwart des Königs. In meinem neuen Buch gibt es übrigens eine gelungene Schilderung eines Hauslehrers, der von Größenwahn besessen ist."

Der Mythos vom vornehmen, schwermütigen, im Schatten der Krankheit und des Todes lebenden Dichter Jacobsen, unter Freunden „Exzellenz" genannt, entstand in diesen Jahren. Ein Anfang war schon 1878 gemacht, als der schwedische Künstler Ernst Josephson in Rom das bekannte Porträt malte, auf dem Jacobsen, den Kopf in die Hand gestützt, sich über das Buch und die blaß-rötlichen Rosen lehnend, dem Betrachter müde und melancholisch entgegenschaut. Der europäische Ruhm des dänischen Dichters blieb mit dem Bild der melancholischen, kranken „Exzellenz" unlöslich verbunden, einem Bild, das der Künstlerauffassung der aristokratischen und todessüchtigen Décadence so gut entsprach.

Illustration von Heinrich Vogeler zu ‚Niels Lyhne' (Edeles Tod)

‚Niels Lyhne'

Schon 1867 hatte der 20-jährige Jacobsen seinem Gedicht ‚Traum' die Anmerkung hinzugefügt: „Durch eine Geschichte hervorgerufen, die im ‚Atheisten' vorkommen wird, wenn es mir jemals gelingt, diesen Roman zu schreiben." Wie die Verkopplung des Freidenkermotivs mit dem Motiv des Traumes auf den 13 Jahre später vollendeten ‚Niels Lyhne' hinweist, so auch zwei Entwürfe ebenfalls aus der Zeit um 1867, die durch Namen und Kapitelüberschriften die übergeordnete Handlungsführung des geplanten Romans andeuten, von „Kindheit" über eine Reihe Frauennamen bis zum „Tod" und „Allein". ‚Niels Lyhne' hatte, wie man sieht, seine Wurzeln in der Jugend Jacobsens und war überhaupt mit seiner geistigen Existenz auf eine besonders intime Weise verbunden. In einem Brief an Georg Brandes vom 9. April 1878 nennt ihn Jacobsen denn auch „eine persönliche Abrechnung".

Die ersten Seiten des Romans wurden im Jahre 1874 geschrieben, als ‚Frau Marie Grubbe' noch nicht abgeschlossen war. Unmittelbar nach der Beendigung des ersten Romans, 1876, wurde die Arbeit an ‚Niels Lyhne' dann wiederaufgenommen, in Montreux, Thisted und Rom fortgesetzt und schließlich im Dezember 1880 in Thisted abgeschlossen.

Ein Publikumserfolg war der Roman zunächst keineswegs, höchstens ein Achtungserfolg. Der Roman wurde mit Respekt aufgenommen, aber ein gewisses Befremden ist in der Rezeption unverkennbar. Von dem Verfasser der ‚Marie Grubbe' hatte man offensichtlich etwas anderes erwartet. Jacobsen war auf die kühle Reaktion des Publikums vorbereitet; zwei Monate vor dem Erscheinen des Buches hatte er an Vilhelm Møller geschrieben: „Mein zähes neues Buch wird kaum jemandem gefallen, weder Freunden noch Feinden, und wird sich in mancher Hinsicht von Marie Grubbe unterscheiden ... Ich habe es aber auch nicht geschrieben, weil ich mit den Leuten einig war – weder mit Freunden noch mit Feinden." Den Feinden, d. h. in erster Linie den christlich-konservativen Lesern, konnte ein Roman, dessen Hauptfigur erklärter Atheist war und es auch noch in der Todesstunde blieb, natürlich nicht gefallen; den Freunden, allen voran den Brüdern Brandes, paßte dieser Roman aber auch nicht, in dem zwar der christliche Glaube abgelehnt, die radikal-freisinnige Bewegung aber zugleich mit einem leicht ironischen Achselzucken beiseitegeschoben und der Atheismus des „schlechten Freidenkers" Niels Lyhne als eine gebrechliche, kaum tragfähige Lebensgrundlage hingestellt wurde. Die weltanschauliche Emanzipation des 19. Jahrhunderts führt in Jacobsens „Desillusionsroman", wie ihn Georg Lukács in ‚Die Theorie des Romans' nannte, zu einer Freiheit, „die schwer zu tragen war" – so Jacobsen an Georg Brandes am 12. Februar 1878. Der Roman ist ein eminentes Zeugnis dafür, daß sich Jacobsen als Künstler von den ideologischen Grundsätzen der Brüder Brandes und des modernen Durchbruchs nicht leiten ließ. Er ist auch hier trotz aller Loyalität den Freunden gegenüber seinen eigenen Weg gegangen.

Gegen den Vorwurf, mit diesem Roman die gemeinsame Sache zu verraten und den Waffengenossen in den Rücken zu fallen, hatte sich Jacobsen insofern gesichert, als er die Ereignisse des Romans um eine Generation zurückverlegte: Niels ist um 1829 geboren und stirbt als Soldat am Anfang des deutsch-dänischen Krieges 1864. Es handelt sich nach Jacobsen um die Generation einer Übergangsepoche, die die bedrückende Erfahrung macht, daß die Freidenkerei sie „des Ansporns beraubt, den der Dünger der Tradition für das Wachstum des Geistes bildet", wie er im vorhin zitierten Brief an Georg Brandes schrieb. Von Jacobsens eigener Generation soll angeblich keine Rede sein. – Dieses Abwehr – oder Täuschungsmanöver hat aber von vornherein dadurch sein Ziel verfehlt, daß in diesem Roman eine historische Milieuschilderung nur ansatzweise vorkommt und die äußeren und inneren Ereignisse der dänischen Geschichte dieser Jahre (wie etwa der schleswig-holsteinische Krieg 1848) kaum oder gar nicht genannt werden. Die Fragwürdigkeit der Vordatierung muß auch Jacobsen selbst bewußt gewesen sein, da er am 16. Januar 1878 an Edvard Brandes schrieb: „In allem Wesentlichen wird der Roman rein psychologisch sein, und vielleicht wird nur der Verfasser selbst sehen können, daß eine Jugend gemeint ist, die heute alt ist."

Vor allem weisen die im Roman vorherrschende Mentalität sowie die darin aufgegriffenen Fragen und Ideen auf die 1870'er Jahre, Jacobsens eigene Gegenwart, eindeutig hin. Dies gilt auch und nicht zuletzt von der Vorstellung einer Übergangszeit, in der zwischen der Ideologie, zu der man sich bekennt, und den traditionellen Vorstellungen und Idealen, die unterschwellig ihren nicht immer erkannten Einfluß auf den Geschmack und die Gefühle weiterhin ausüben, eine konfliktträchtige Spannung besteht. Jacobsen kannte das Phänomen aus eigener Erfahrung und stellte es ebenfalls bei Freunden wie Holger Drachmann (siehe Brief vom 6. Februar 1878), Vilhelm Møller u. a. fest. Daß diese Problematik einer Übergangszeit gerade unter den Männern des „Modernen Durchbruchs" höchst aktuell war, davon zeugt vor allem Ibsens ‚Gespenster', das 1881 erschien und also ungefähr gleichzeitig mit ‚Niels Lyhne' entstand. Was in diesem Drama unter ‚Gespenster' zu verstehen ist, erklärt uns Frau Alving selbst: „Nicht nur was wir von Vater und Mutter geerbt haben, geht in uns um. Es sind allerhand alte verstorbene Meinungen und allerlei alte verstorbene Glaubenssätze und ähnliches. Es ist nicht in uns lebendig; aber es sitzt trotzdem da, und wir werden es nicht los." Dies ist, wie wir sehen werden, auch Niels Lyhnes Problem.

Wie ‚Frau Marie Grubbe' besteht ‚Niels Lyhne' aus einer Reihe miteinander nur locker verbundener Kapitel, in denen ausgewählte Abschnitte aus Niels Lyhnes Leben von der Geburt bis zum Tod dargestellt werden. Neben den Eltern und dem Vetter Erik sind es vor allem fünf Frauen, die jeweils eine kürzere oder längere Periode in Niels' Leben prägen: Edele, deren erotische Schönheit den pubertären Jüngling wie ein Schock trifft und deren Tod die Grundlage seines christlichen Glaubens zerrüttet; Frau Boye, die reife und kokette Frau, die ihn bis an die Schwelle der erotischen Erfüllung heranlockt, vor ihren eigenen radikalen Ideen aber zurückschrickt und schließlich einen braven Bürger heiratet; Fennimore, die zunächst Erik vor Niels bevorzugt, sich aber später als enttäuschte Ehefrau Niels zuwendet, um ihm schließlich nach Eriks plötzlichem Tod mit Haß entgegenzutreten; Madame Odéro, mit der Niels Lyhne am Gardasee eine Art verliebter Freundschaft schließt, die durch die spontan-rücksichtslose Abreise der Madame ein jähes Ende findet; schließlich Gerda, Niels Lyhnes junge Ehefrau und die Mutter seines einzigen Kindes, deren Tod über Niels' letzte Jahre einen tiefen Schatten wirft und den Hintergrund der existentiellen und religiösen Krise bildet, mit der das Buch ausklingt. – Zwischen den einzelnen Kapiteln liegen oft mehrere Jahre, von denen der Leser nur notdürftig und summarisch unterrichtet wird. Worauf es Jacobsen bei der Komposition des Buches ankam, hat er im Brief an Edvard Brandes am 28. Oktober 1879 folgendermaßen angedeutet: „Die inwendige Komposition wird in den Zusammenfügungen fester als ich eine zeitlang dachte, und um die äußerliche Komposition kümmere ich mich den Teufel."

Die „inwendige Komposition" ist zunächst durch den durchgehenden Bezug aller Teile auf die Titelfigur, manchmal auf Kosten der Nebenfiguren, charakterisiert. Die innere Einheit des Romans wird aber stilistisch vor allem durch die unverwechselbare Stimme des Erzählers gewährleistet. Die Bedeutung des auktorialen Erzählers ist in ‚Niels Lyhne' noch größer, seine Rolle noch wichtiger als in ‚Frau Marie Grubbe'. Sein Tonfall, milde und mitleidig, oft melancholisch, manchmal aber auch ironisch und humoristisch, prägt modulierend die Klangfarbe, den Rhythmus und die Atmosphäre der einzelnen Teile. Einmal sogar, auf der ersten Seite des Romans, gibt er sich durch das Wort „Ich" zu erkennen, ohne daß der Roman dadurch ein Ich-Roman wird: „Ich erzähle von ihr, wie sie als Siebzehnjährige war." – Jacobsen macht keinen Hehl daraus, daß hier ein unsichtbarer, allgegenwärtiger Erzähler eine Geschichte erzählt. Der Brief an Vilhelm Møller am 6. Dezember 1880 zeigt, daß er diese Erzähltechnik sehr bewußt angewandt hat: „Auf der ersten Seite des Buches findet sich ein Ich, das einzige des Buches; es taucht aber im ganzen Werk immer wieder hervor als lyrische Ausbrüche einer Lebensanschauung." Stilhistorisch ist dies eine recht traditionelle Erzählweise, die in der zweiten Hälfte des 19. Jahrhunderts denn auch von Kritikern und Theoretikern zugunsten eines objektiv-neutralen Erzählens kritisiert und abgelehnt wurde, so etwa von Hermann Bahr, der es 1890 in seinem bekannten Essay ‚Die Krisis des Naturalismus' unerträglich nannte, daß „zwischen uns und die Wahrheit immer der vermittelnde, ergänzende und kommentierende Autor eingeschoben wird." Viele Erzähler – und nicht immer die schlechtesten – hielten aber trotzdem an der bewährten auktorialen Erzählform fest. Wenn der Erzähler in ‚Niels Lyhne' etwa mitfühlend ausruft: „Arme Fennimore", so muß der Liebhaber von Fontanes Romanen unwillkürlich an den 15 Jahre späteren Ausruf „Arme Effi" denken; aus den Jugenderzählungen Thomas Manns, der Jacobsen leidenschaftlich bewunderte (siehe S. 127), ließen sich ebenfalls zahlreiche Parallelen anführen.

Der dänische Lyriker und Kritiker Chr. Rimstad gestand 1907, daß er zu den Lesern gehöre, die sich nicht in erster Linie durch die Gestalten in Jacobsens Roman fasziniert fühlten, sondern vielmehr durch den Erzähler, „diese männliche, schönheitsliebende und so außerordentlich lebenskluge Stimme, deren wehmütiges Flüstern und nachdenkliches Murmeln man hinter den Begebenheiten erlauschen mußte und deren Echo in die Mitte der Geschehnisse hineintönte." – Jacobsen hat in diesem Roman eine tradionelle Erzählweise in ein raffiniertes, mit hohem Kunstverstand gehandhabtes Stilmittel verwandelt.

Obwohl sich der Erzähler der jeweiligen Lage im Roman stilistisch anpaßt, so bleibt der Grundtenor seiner Sprache ein gedämpfter, der mündlichen Redeweise nicht allzu ferne stehender Ton. Dazu gehört etwa der reichliche Gebrauch von scheinbar überflüssigen Wörtchen, Partikelchen, Wiederholungen und ähnlichen, kleinen, kommunikativen Mitteln, die fast unmerklich den Leser in den Zustand eines vertraulichen Einverständnisses mit dem Erzähler versetzen. Das kleine „ja" etwa, das der Erzähler mit auffallender Häufigkeit einschaltet, hat meistens diese Funktion. Charakteristisch ist ebenfalls die Wiederholung eines Substantivs durch das entsprechende, unmittelbar nachgestellte persönliche Pronomen wie: „Børn de sørger" („Kinder die trauern") oder: „naar saa Niels han kom" („wenn dann Niels er kam"), eine im Dänischen heute noch übliche volkstümliche Ausdrucksweise, die schon in den mittelalterlichen dänischen Volksballaden den Charakter einer Redeformel besaß: „Ravnen han flyver", „Falkvor han tjener" etc. Ebenfalls volkstümlich sind die an sich nichtssagenden, aber für den Rhythmus der Sprache wichtigen, weil das Redetempo verlangsamenden Wendungen wie etwa: „For der var det, at ...", deren stilistische Wirkung Marie Herzfeld durch ihre wörtliche Übersetzung völlig verfehlt: „Denn es war dies dabei, daß ..." – Gerade derartige sprachliche Kleinigkeiten lassen sich ja am schwersten in eine andere Sprache übertragen, und so nimmt es nicht wunder, daß die meisten deutschen Jacobsen-Übersetzer das „Überflüssige" der Sprache weggelassen und einfach den Sinn der Sätze übersetzt haben. Verloren geht aber dabei ein Teil der lockeren Einfachheit, der volkstümlichen Alltäglichkeit, der „unliterarischen" Lebensnähe und auch des zögernd-nachdenklichen Rhythmus der Sprache.

Wie der Erzähler in ‚Frau Marie Grubbe' weist sich auch dieser Erzähler als ein feinsinniger Psychologe aus mit viel Sinn und Interesse für unbewußte und halb bewußte Seelenzustände. Deutend und erklärend begleitet er die Vorgänge mit Auslegungen, die manchmal über den im Text gegebenen Anlaß hinaus weitergesponnen werden: „Dies stand natürlich nicht in seinem kindlichen Bewußsein mit der Klarheit und Bestimmtheit, die das ausgesprochene Wort bewirkt, aber es war alles da, unfertig, ungeboren, in der vagen und ungreifbaren Form eines Embryos; es war wie die wundersame Vegetation eines Seebodens, durch fahles Eis gesehen; zerschlag das Eis, oder zieh das dunkel Lebendige an das Licht der Worte: was geschieht, ist das Gleiche, – was nun gesehen und nun erfaßt wird, ist, in seiner Klarheit, nicht das Dunkle, das war" (II, 19f.).

Am unmittelbarsten wird das Textverständnis des Lesers natürlich dort durch den Erzähler gesteuert, wo der Erzähler Wertvorstellungen formuliert und Werturteile verkündet, die sich auf das Romangeschehen unmittelbar beziehen. Dies gilt etwa für seine Äußerungen über den Traum, der zu den zentralen Motiven des Buches gehört. Von Niels' Mutter, Bartholine Blide, erfahren wir auf den allerersten Seiten des Romans, daß sie sich als junges phantasiebegabtes Mädchen von der prosaischen Umgebung in die Welt der Dichtung und der Phantasie flüchtet, in der sie das wahre Leben und ihr eigentliches Ich zu finden meint. Dazu der Erzählerkommentar: „Sie träumte tausend Träume von jenen sonnigen Gegenden und verzehrte sich vor Sehnsucht nach ihrem rechten, reichen Ich, und vergaß, was man so leicht vergißt, daß selbst die schönsten Träume, selbst die tiefste Sehnsucht nicht einen einzigen Zoll zum Wachstum des Menschengeistes beitragen" (II, 6). Als sie nicht allzu lange nach der Heirat mit Niels' Vater einsehen muß, daß sie gegen ihre Erwartungen einen nüchternen, praktischen Mann „von erdnahen Gedanken und traumlosen Erklärungen" geheiratet hat, gewinnen ihre Träume endgültig den Charakter von Flucht und Kompensation. Die drastische Wortwahl, mit der die harmlos anmutenden Träume von Niels' Mutter erwähnt werden, fällt auf und signalisiert, daß wir uns hier einer Gefahrenzone nähern, in der, wie dem Leser bald klar wird, die Existenzproblematik von Niels Lyhne ihre Wurzeln hat: „Wenn sie sich jetzt den Träumen ergab, so geschah das trotz einer vorwurfsvollen Stimme in ihrem Inneren, die ihr zuflüsterte, daß sie wie eine Süchtige sei, die weiß, daß ihre Leidenschaft verderblich ist ...; die Stimme klang aber vergeblich, denn nüchtern gelebtes Leben, ohne das lichte Laster der Träume war kein lebenswürdiges Leben. Das Leben hatte ja eben nur den Wert, den ihm die Träume verliehen" (II, 15). – In den von Jacobsen nicht veröffentlichten Varianten wendet sich der Erzähler noch ausführlicher und unmißverständlicher gegen das „Gift" der Träume, etwa in der folgenden Weise: „Es ist so leicht zu träumen, und es scheint so unschuldig; dennoch gleicht der Traum jenen finsteren Gestalten der Sage, in deren Spuren alles, was zum Leben gehört, seine Üppigkeit verliert, verwelkt und versengt wird. Alle Bande, die den Menschen an die Wirklichkeit des Lebens binden, lockern sich durch den Traum" (II, 304).

„Traum" hat dabei in ‚Niels Lyhne' fast nie die übliche Bedeutung des Wortes, sondern bezieht sich meistens auf den Zustand, in dem sich der Mensch bei wachem Bewußtsein fiktiven, oft sehnsuchtsvollen Vorstellungen der Phantasie hingibt, die von der Wirklichkeit abweichen. Es handelt sich mit anderen Worten um Tagträume oder Wachträume, die in semantischer Hinsicht den Begriffen der Einbildung, Phantasie oder auch Phantasterei nicht allzu fern stehen. In diesem Sinne hatte das Motiv des Traumes in der dänischen Literatur des 19. Jahrhunderts schon eine reiche Tradition. Am wichtigsten war zweifellos der 1859 erschienene Roman von Hans Egede Schack, ‚Phantasterne', in dem die eskapistische Phantasterei realistisch dargestellt, psychologisch analysiert und ideologisch kritisiert wurde. Auf diesen Roman spielte Georg Brandes an, als er sich – etwas grämlich – bei Jacobsen für ‚Niels Lyhne' bedankte: „Wir haben ja die „Fantasten", und ich weiß nicht, ob ich, G. Br., der einzige bin, der von der dänischen Phantasterei gründlich genug hat."

Der „Traum" in dieser weit gefaßten Bedeutung, die das Wort auch in dieser Untersuchung hat, steht in ‚Niels Lyhne' in einem polaren Gegensatzverhältnis zum „Leben" und zur „Wirklichkeit". Dadurch erst gewinnt er seine eigentliche Bedeutsamkeit. Die Gefährlichkeit des Traumes, so wie er im Roman dargestellt wird, entsteht vor allem dadurch, daß sich die im Traum enthaltene Sehnsucht auf das Leben richtet und daß der Traum unverbindlich Leben vorgaukelt und vortäuscht. Das Leben wird dadurch nicht nur verzeichnet und verzerrt, sondern der Träumer gerät in Gefahr, sich dem wirklichen Leben zu entfremden. Mit fast exemplarischer Deutlichkeit wird dies an der Mutter Niels Lyhnes demonstriert, die sich am Ende ihres Lebens als unfähig erweist, die Schönheit der schweizerischen Landschaft zu erleben, „weil sie Farben ersehnt hatte, die das Leben nicht besitzt, eine Schönheit, die auf Erden nicht reifen kann" (II, 130).

Niels Lyhnes Kindheit spielt sich zwischen „den beiden freundlichen Mächten" ab, „die, ohne es zu wissen, um seine junge Seele einen Kampf ausfochten" (II, 15 f.). Gemeint sind die Eltern des Kindes, aber hinter ihnen standen die konträren Lebenshaltungen der traumsüchtigen Mutter einerseits und des traumlos-nüchternen Vaters andererseits. Der Einfluß der Mutter überwiegt, indem sich der kleine Niels nur dann zum Vater flüchtet, wenn ihn die heroischen und erhabenen Phantasien der Mutter ermüden, und so können die Kindheitskapitel des Romans mit den Worten abgeschlossen werden: „Die Phantasterei schüttelte ihre Glimmerblüten durch die langatmige Stille des ereignislosen Lebens hinab, die Traumluft legte sich über die Seele, lockend und zehrend mit ihrem Duft von Leben, und mit den feinen Giften lebensdurstiger Ahnungen im Dufte versteckt" (II, 75).

Die Polarität von Traum und Leben, die trotz der Dominanz der Traumseite in der Kindheitsdarstellung des Romans keineswegs anschauliche und fröhliche Bilder der spielenden Kinder ausschließt, taucht in verschiedenen Verkleidungen in allen Lebensstadien Niels Lyhnes auf und erweist sich dadurch als der Kern seiner Existenzproblematik. Etwas vereinfachend könnte man sagen, daß Niels Lyhne als Erwachsener eine Reihe mißlungener Versuche unternimmt, über die früh erworbene, aber nur intellektuelle Erkenntnis der Wirklichkeit hinaus zu einer unmittelbaren, sinnlich-konkreten Partizipation am Leben zu gelangen. Wie sich dabei die Spannung zwischen dem Störfaktor „Traum“ und dem „Leben“ auswirkt, läßt sich am besten an Niels Lyhnes Erfahrungen in der Liebe untersuchen:

Als der 12-jährige Niels zum ersten Mal die Macht der Liebe zu spüren bekommt, versetzt ihn dieses Erlebnis in einen Zustand schwärmerischer Phantasterei. Die 26-jährige Edele, deren erotische Schönheit ihn blitzartig trifft, verwandelt sich für ihn in „ein wunderbar erhabenes Wesen, göttlich gemacht durch eine seltsame Mystik der Schönheit.“ Die Polarität von Traum und Leben am Beispiel eines verliebten pubertären Jünglings zu entfalten wäre zu banal gewesen, und so hat Jacobsen hier den plumpen, zwischen Minderwertigkeitsgefühlen und Größenwahn schwankenden Hauslehrer Bigum eingeführt. Bigum selbst, der nur hier im Roman auftritt und später kein einziges Mal erwähnt wird, verkörpert an sich schon die Diskrepanz von „Traum“ und Leben, da seine maßlose Selbstüberschätzung in einem grotesken Mißverhältnis zu seinen faktischen Leistungen und Fähigkeiten steht. Obwohl er mit quälender Deutlichkeit einsieht, daß ihn eine unüberbrückbare Kluft von der eleganten Kopenhagenerin Edele trennt, verliebt er sich Hals über Kopf in sie. Zufällig hört Niels das Gespräch, in dem Bigum Edele seine Liebe gesteht und von ihr den erwarteten Korb erhält. Obwohl Edeles abschließende Worte an Bigum gerichtet sind, werden sie von Niels als eine Lehre für das Leben aufgenommen, und so waren sie auch von Jacobsen gemeint: „Ich werde durch Ihre Liebe nicht beleidigt, Herr Bigum, aber ich verdamme sie. Sie haben getan, was so viele tun. Wir schließen unsere Augen vor dem wirklichen Leben, wir wollen das Nein nicht hören, das es gegen unsere Wünsche ruft, wir wollen die tiefe Kluft vergessen, die uns das Leben zwischen unserer Sehnsucht und dem Ziel unserer Sehnsucht zeigt. Wir wollen, daß unsere Träume Wirklichkeit werden. Das Leben rechnet aber nicht mit Träumen; kein einziges Hindernis läßt sich aus dem Wirklichen hinausträumen" (II, 50). Diese Worte machen auf Niels einen unauslöschlichen Eindruck. Zum ersten Mal spürt er den kalten Hauch einer gnadenlosen Wirklichkeit: „Er hatte zum ersten Mal wirklich begriffen, daß das Urteil des Lebens, wenn es dich zum Leiden verurteilt hat, weder bloß erdichtet noch angedroht ist; man wird dann eben zur Folterbank geschleppt und dann gefoltert, und es kommt keine märchenhafte Befreiung im letzten Augenblick, kein plötzliches Erwachen wie aus einem bösen Traum. – Das war es, was er in ahnungsvoller Angst begriff" (II, 52).

Die Wahrheit dieser Ahnung bestätigt sich für Niels, als Edele kurz darauf stirbt. Vergebens hatte er vorher in leidenschaftlichen Gebeten Gott angefleht, ihr Leben zu bewahren. Mit dieser negativen Gotteserfahrung macht Niels den ersten Schritt auf dem Wege zum Atheismus, wobei allerdings schon hier die Verwurzelung des christlichen Glaubens in tieferen Schichten seines Wesens und damit auch die religionspsychologische Problematik des reifen Niels Lyhne angedeutet und vorweggenommen werden: „Er nahm Partei – so voll und ganz wie er konnte, gegen Gott, aber wie ein Vasall, der gegen seinen rechtmäßigen Herrn zu den Waffen greift, denn er glaubte immer noch und konnte den Glauben nicht forttrotzen" (II, 60f.).

Wie Edele, so wendet sich auch Niels Lyhnes zweite Liebe, die schöne Witwe Frau Boye, gegen Traum, Phantasie und Phantasterei und plädiert stattdessen für das nackte Leben, für Wirklichkeit und Natur. Dies alles jedoch nur in der Theorie, denn die kühnen fortschrittlichen Anschauungen, mit denen sie unter der Maske einer naiven Kindlichkeit die jungen Männer aufregt und imponiert, werden keineswegs in die Tat umgesetzt. – Zwischen ihr und Niels entsteht das, was im Roman bezeichnet wird als „ein seltsames Verhältnis, geboren durch die demütige Liebe eines Jünglings, das traumheiße Verlangen eines Phantasten und die Lust einer Frau, in romantischer Unerreichbarkeit begehrt zu werden“ (II, 108). Obwohl diese Liebe unerfüllt bleibt, so besitzt sie dennoch für Niels so viel Realität, daß er sich nun nicht mehr wie „einen Gefangenen in der Gewalt all jener phantastischen Einflüsse der Kindheit“ oder wie „den Spielball einer ziellosen Sehnsucht und nebliger Träume“ empfindet. So reicht diese Erfahrung aus, um Niels an die Wirklichkeit des Lebens heranzuführen und ihm die „Leidenschaftsgrundlage“ zu geben, auf der er sich entwickeln könnte, wie uns der Erzähler versichert (II, 111).

Wie die Edele-Handlung wird auch die Frau Boye-Handlung von theoretischen Erörterungen begleitet. Auch Frau Boye klärt ihren verliebten Zuhörer über die fatalen Folgen eines träumerischen Phantasierens auf. Über ihren Ausführungen schwebt aber eine von Jacobsen, aber nicht von Frau Boye selbst beabsichtigte Ironie, da weder sie noch ihr unerfahrener Liebhaber sich nach den vorgetragenen Grundsätzen richten. Dabei handelt es sich um ein für die beiden – und nicht nur für sie – hochaktuelles Thema: das Verhältnis der Geschlechter zueinander. Obwohl die dozierende Frau Boye somit vom Leser nicht ganz ernst genommen werden kann – ihre Theorien hat sie noch dazu von einem früheren Liebhaber übernommen –, so sind ihre Ausführungen über die „dressierende“ Liebe des Mannes und über die Folgen seiner Anbetung, die in Wirklichkeit die Frau tyrannisiert und ihrer Natur Gewalt antut, an sich bemerkenswert und ein wichtiger Beitrag zum Thema der Träume und Phantasien, die die Wirklichkeit umbilden: „Ich verachte Phantasie ... Wie oft müssen wir uns nicht darein finden, daß derjenige, den wir lieben, uns mit seiner Phantasie ausstaffiert, uns eine Glorie um das Haar setzt, uns Flügel an die Schultern bindet und uns in ein sternübersäetes Gewand hüllt und uns dann erst richtig der Liebe wert findet, wenn wir in dem Maskeradenkostüm einhergehen, in dem keine von uns sie selbst sein kann, weil wir allzu sehr geputzt sind, und weil man uns dadurch verwirrt, daß man sich vor uns in den Staub wirft und uns anbetet statt uns zu nehmen, wie wir sind, und uns dann einfach zu lieben“ (II, 99).

Das sind Gedanken, die wir nicht nur von Jacobsens Erstlingsnovelle ‚Mogens' kennen (siehe S. 38), sondern auch von anderen Schriften des „Modernen Durchbruchs", von Georg Brandes etwa oder von Ibsens Drama ‚Nora' (1879). Bei Ibsen wird bekanntlich die Ehefrau durch die Liebe des Mannes zur „Puppe" und zur „Lerche" stilisiert, bis sie schließlich gegen diese „dressierende" und sie bei aller Zärtlichkeit des Mannes dennoch tyrannisierende „Liebe" revoltiert und Mann und Kind verläßt, um ein „Mensch" zu werden.

Niels Lyhne steht den Lehren Frau Boyes ziemlich ratlos gegenüber, denn wie vorher Edele hat seine verliebte Phantasie nun auch Frau Boye „mit einem Schimmer von Göttlichkeit" umgeben. Die traumbefangene Anbetung, mit der er dieser Frau gegenübersteht, macht es ihm unmöglich, sie zu nehmen wie sie ist und sie „dann einfach zu lieben."

Noch einmal finden wir einige Jahre später Niels Lyhne in einer ähnlichen Situation. Diesmal wird er von der von ihm geliebten Fennimore belehrt, aber eindringlicher und kühner. Es geht zunächst um die Natur der Frau. Fennimore erklärt ihm, „daß die Frauen keine so ätherischen Wesen sind, wie mancher Junggeselle träumt; sie sind wirklich nicht zarter als die Männer, und sie sind gar nicht anders als die Männer" (II, 218). Niels zieht sich demgegenüber auf den traditionellen Standpunkt des Mannes im 19. Jahrhundert zurück und bekennt – ahnungslos – seinen Glauben an die „Reinheit der Frau". Mit einer fast feministischen Aggressivität regt sich Fennimore über diesen Unsinn auf: „Eine Frau kann nicht rein sein, sie soll es nicht sein, wie sollte sie das können? Hat der liebe Gott sie dazu bestimmt? Antworte mir! – Nein, zehntausendmal nein. Was ist es denn für ein Wahnsinn? Warum müßt ihr uns denn mit der einen Hand gegen die Sterne emporwerfen, wenn ihr uns mit der anderen doch hinabziehen müßt? Könnt ihr uns nicht neben euch auf der Erde gehen lassen, Mensch bei Mensch, und nichts weiter. Es ist uns ja unmöglich, in der Prosa fest und sicher aufzutreten, wenn ihr uns mit eurem Irrwisch von Poesie blind macht" (II, 218f.).

Wie es in ‚Frau Marie Grubbe' trotz einer gewissen Affinität zu den Ideen der Frauenbewegung dennoch nicht um die Emanzipation der Frau ging, so sind auch die modern-progressiven Ansichten Frau Boyes, Fennimores u. a. nicht das eigentliche Anliegen des Romans. Diese Ansichten über die Natur der Frau und das Verhältnis der Geschlechter zueinander stehen vielmehr im Dienste der übergeordneten Existenzproblematik der Titelfigur. Niels Lyhnes Auffassung der Frau und der Liebe verbindet das für ihn charakteristische Phantasieren, seine „Träume", mit den von ihm kritiklos übernommenen traditionellen Vorurteilen und Konventionen der Zeit.

Wie ein letzter Nachklang folgt schließlich die Episode mit der Sängerin Madame Odéro, die Niels Lyhne in einer Pension am Gardasee trifft. Noch einmal geht er an der wahren Natur einer Frau vorbei, „indem er Madame Odéro durch Worte und Manieren mit einer kleidsamen Melancholie drapiert hat. Gleich am Anfang war sie mehrmals nahe daran, sich den ganzen Staat herunterzureißen und als die Barbarin hervorzutreten, die sie wirklich war; als sie aber fand, daß es sie vornehm kleide, übernahm sie die Melancholie wie eine Rolle" (II, 264). Sobald sie sich von ihrem Halsübel erholt hat, reist sie aber ab und hinterläßt für Niels Lyhne nur ein paar hastig hingeschriebene Abschiedsworte. Am Abend erzählt Niels dem Sohn des Wirtes das Märchen von der Prinzessin, die ihr Gefieder wieder fand und von ihrem Geliebten fort flog, zurück in das Land der Feen. Niels Lyhne kann es mit anderen Worten immer noch nicht lassen, an seinem Leben zu dichten und seine Liebeserfahrungen mit den Augen eines Märchenerzählers zu betrachten.

Anschließend fühlt er sich allerdings von der unerträglichen „Gleichgültigkeit des Daseins" so angewidert, daß er in die Heimat zum väterlichen Hof zurückkehrt, um durch körperliche Arbeit und ein einfaches Leben ohne jede intellektuelle Betätigung das verlorene Gefühl des Zuhauseseins und der Geborgenheit wiederzugewinnen und nicht mehr „immer auf sich selbst zurückgeworfen zu werden."

Hier hätte der Roman zweifellos enden können. Der Ring ist geschlossen. Niels Lyhne kehrt nicht nur ins Elternhaus zurück, sondern er knüpft an die Lebensform des Vaters an und setzt sie fort. Seine dichterischen Pläne sind endgültig aufgegeben; der idealistische Schwung und der missionarische Eifer seines atheistischen Glaubens weichen einer resignierenden Einstellung: „Die Menschheit mußte sich ohne ihn behelfen", obwohl er selbst nach wie vor Atheist bleibt. Dazu kommt die blutjunge Gerda, die sich ergeben und liebevoll dieser Daseinsform reibungslos anpaßt. Mit ihr lebt Niels dann drei Jahre in einer Ehe, die im Roman nicht eigentlich dargestellt, sondern summarisch als „glücklich" bezeichnet wird.

Diese letzte Liebe Niels Lyhnes unterscheidet sich von den früheren Liebeserfahrungen u. a. dadurch, daß Niels nun endlich die geliebte Frau nimmt, wie sie ist, und sie dann einfach liebt. Das Gaukelspiel der Träume und der Phantasie scheinen ausgeschaltet zu sein. Nun endlich kann das „Leben" ungehindert zu seinem Recht kommen. Zugleich ist dies aber die Stunde der Wahrheit: nun soll sich das Leben ohne „Träume" bewähren. An dieser Stelle des Romans konfrontiert Jacobsen dann Niels Lyhne mit der gnadenlosen Härte des Lebens, die er schon als Kind geahnt und gefürchtet hatte. Erst stirbt Gerda und verlangt in der Todesstunde nach dem Pfarrer, der ihr den letzten Trost spendet, während Niels erschüttert erleben muß, daß ihre letzten Gedanken und Gefühle nicht ihm, sondern Gott gelten. Kurz danach erkrankt Niels' kleiner Sohn, der nach fürchterlichen, von Jacobsen mit unerbitterlicher Genauigkeit beschriebenen Schmerzen stirbt. Vor dem Krankenlager des Kindes sinkt Niels Lyhne auf die Knie „und betete zu dem Herrgott im Himmel, der das Erdenreich durch Zucht und Prüfungen in Angst hält" (II, 286). Zurückblickend faßt er später dieses Verhalten als „einen Sündenfall, einen Abfall von sich selbst und von der Idee" auf (II, 287).

Unerwartet taucht hier die Polarität Traum-Leben wieder auf, indem Niels Lyhne sein Beten zu Gott mit der früheren kindlichen Flucht in die Phantasterei gleichstellt: „Er wußte ja doch, bis in die innersten Fibern seines Gehirns, daß Götter Träume seien, und daß er zu einem Traum floh, sobald er betete; genau so wie er früher als Kind gewußt hatte, daß es

Phantasterei war, wenn er sich in die Arme der Phantasterei warf" (II, 288). Während früher die Träume ihm den Weg zum Leben versperrten, so hat ihn jetzt das Leben selbst in den Bereich der „Träume" zurückgedrängt. Es liegt eine eigentümliche kompositorische Entsprechung darin, daß der Tod Edeles am Anfang des Romans Niels Lyhne auf den Weg zum Atheismus führt, der Tod seiner Lieben am Ende des Romans ihn dagegen zum Christentum zurückbringt – wenn auch nur vorübergehend. Was sich inzwischen gewandelt hat, ist vor allem das Gesicht des Lebens.

Wie Ludwig Feuerbach, Ernst Häckel und andere enthusiastische Anhänger des anti-christlichen Fortschrittglaubens im 19. Jahrhundert war auch Niels Lyhne der Ansicht gewesen, daß mit der Abschaffung des angeblich lebensfeindlichen Christentums ein neues, freieres, glücklicheres Zeitalter der Menschheit anbrechen würde. Im Gespräch des 9. Kapitels mit dem Arzt Dr. Hjerrild formulierte Niels Lyhne damals seinen zuversichtlichen Optimismus so: „Welche Intensität wird es dem Leben nicht verleihen, wenn alles darin enthalten ist und nichts mehr jenseits liegt? Der ungeheure Liebesstrom, der jetzt zu dem Gott emporsteigt, an den man glaubt, ... wird sich dann über die Erde ergießen ... Begreifen Sie nicht, welcher Adel sich über die Menschheit verbreiten wird, wenn sie frei ihr Leben lebt und ihren Tod sterben kann, ohne Furcht vor Hölle und ohne Hoffnung auf das Himmelreich, nur sich selbst fürchtend und mit Hoffnung auf sich selbst?"

Damals teilte Niels Lyhne noch den für die Aufklärung des 18. und für die Fortschrittsideologie des 19. Jahrhunderts charakteristischen Glauben an die Perfektibilität des Menschen: „Der Atheismus selbst wird sie erziehen", erklärte er zuversichtlich dem skeptischen Dr. Hjerrild. Vom Menschen allein, so dachte man damals, sei alles abhängig, und an dessen positive Entwickklungsmöglickeiten glaubte man fest. So stand der Mensch im Mittelpunkt des Interesses und wurde weitgehend mit dem Leben selbst identifiziert. Die Möglichkeit eines nicht-anthropozentrischen Lebensbegriffes wurde nicht erwogen und die Frage nach der Beschaffenheit des Lebens nur selten gestellt. Wohin diese Frage aber führen konnte, zeigte damals Schopenhauers Lehre von dem Leiden als der unvermeidbaren Folge des Willens zum Leben. Damit war geistesgeschichtlich ein pessimistisches Gegenstück zur optimistischen Fortschrittsgläubigkeit geschaffen, das in der zweiten Hälfte des 19. Jahrhunderts unter Künstlern und Intellektuellen eine immer stärkere Resonanz fand. Tatsächlich gerät auch Jacobsens Roman in den letzten Kapiteln in eine erstaunliche Nähe zu Schopenhauers Philosophie. Jacobsen hat, so viel wir wissen, Schopenhauer nicht gelesen, aber auffallend ist es schon, daß er in den handschriftlich überlieferten Aufzeichnungen zum Roman das Endstadium von Niels Lyhnes Entwicklung mit dem Wort „Nirwana" bezeichnet, einem Schlüsselbegriff nicht nur des Buddhismus, sondern auch der Schopenhauerschen Philosophie.

Wie dem auch sei, Niels Lyhne schwenkt am Ende seines Lebens unter dem Eindruck schmerzlicher Erfahrungen zu einer skeptisch-pessimistischen Einstellung um, deren Erwartungen sich mehr als bescheiden ausnehmen: „Denn das Neue, der Atheismus, die heilige Sache der Wahrheit, welches Ziel hatte das alles, was war das alles anders als bloße Flittergoldnamen für das eine einfache: das Leben ertragen, wie es war! das Leben ertragen, wie es war, und das Leben sich nach den eigenen Gesetzen des Lebens bilden lassen" (II, 288). Der triumphierende Klang, den die früheren Worte von der durch den Atheismus zu bewirkenden Lebensintensität hatten, ist jetzt verschwunden. Nun geht es vielmehr darum, „das Leben zu ertragen", was wiederum stillschweigend Leiden und Schmerz als unvermeidbare Begleitumstände des Lebens voraussetzt. Der Begriff des Lebens hat sich grundlegend gewandelt. – Niels Lyhnes eigentliche Niederlage besteht darin, daß er selbst diesem stark reduzierten Anspruch des Atheismus nicht hat genügen können: „Er hatte das Leben nicht ertragen können, wie es war." Die Wahrheit des Atheismus wird im Roman zwar nicht bestritten, seine Tragfähigkeit als Lebensgrundlage erweist sich aber als problematisch. Als Niels dann in der Todesstunde keinen Pfarrer bei sich sehen will und „von seiner Rüstung fabelte und davon, daß er stehend sterben wolle", so wirkt diese Reaktion als die verzweifelt-heroische Gebärde eines Menschen, der seinem Glauben treu bleiben will. Das Bild des Atheismus aber bleibt trotzdem schillernd.

So wichtig das Motiv des Atheismus auch ist, es geht in diesem Roman dennoch nicht um die Wahrheit oder Unwahrheit des Atheismus bzw. des Christentums. Jacobsen, der seine Pappenheimer kannte, hat vorsorglich die Brüder Brandes vor einer Überschätzung des Atheismusmotivs des Romans gewarnt: „Übrigens wird das Freidenkerische nur insofern mit einbezogen werden, als es für das Verständnis der Menschen erforderlich ist, was für mich immer die Hauptsache in einer Erzählung ist" (21. November 1877 an Edv. Brandes). Ausdrücklich stellt er auch im Brief an Georg Brandes vom 12. Februar 1878 das Motiv des Atheismus in den Hintergrund, nachdem er die Probleme und Schwierigkeiten des Freidenkertums in seinem Roman erklärt und fast auch entschuldigt hatte: „In meiner Erzählung steht dies nur mit weichen, unbestimmten Umrissen, durch Liebesträume und Liebesleiden, Liebessehnsucht und Liebesahnungen verschleiert und in Farben ertrunken. So wollte ich wenigstens, daß es sein sollte. Das Gewicht ist durch und durch auf das spezifisch Psychologische und auch auf das Physiologische gelegt." Kein Thesenroman also, in dem das Problem des Atheismus zur Debatte gestellt werden konnte, keine Tendenzdichtung, die Jacobsen ja verabscheute (siehe S. 21). In der Tat fehlt in diesem Roman fast jede theoretische Erörterung der weltanschaulichen Inhalte des Christentums und des Atheismus; sie werden in ihrer Wirkung auf die Psyche und die Existenz der Betroffenen dargestellt. Dadurch erst werden sie im Roman bedeutsam.

Die geheime Mitte des Romans ist vielmehr die existentielle Lebensproblematik der Titelfigur – wie in ‚Mogens' und wie in ‚Frau Marie Grubbe'. Den Titelfiguren dieser drei Werke gemeinsam ist denn auch ihre Lebenssehnsucht, die vor allem in der Liebesleidenschaft zum Ausdruck kommt, sich aber auch als naturmystische Einheitssehnsucht äußern kann. Für Jacobsen bestand, wie wir sahen, kein grundsätzlicher Unterschied zwischen der Natur um den Menschen und der Natur in dem Menschen. Natur und Psyche waren für ihn unmittelbar verbunden, da sie auf derselben Grundlage ruhten. Die Naturstimmungen und Landschaftsschilderungen in Jacobsens Werken sind deshalb auch immer Manifestationen des Lebenstriebes, im Einklang mit dem Menschen oder als Kontrast zu ihm, wie etwa die prachtvollen Naturbilder vor dem Zimmer der sterbenden Edele und später auch der todeskranken Frau Lyhne in Clarens. Niels Lyhne selbst, dessen „Liebe zur Natur kräftig hervorgehoben ist“, wie Jacobsen am 6. Januar 1881 an Edvard Brandes schrieb, erfährt den Einklang und die Einheit der Naturkräfte um ihn und in ihm an einem Frühlingsabend, als er sich seiner Liebe zu Frau Boye bewußt zu werden beginnt. Seine Reaktion auf dieses Naturerlebnis ist geeignet, uns über einen Aspekt seiner besonderen Lebensproblematik Aufschluss zu geben: „Singend war er den Waldweg entlanggegangen, dann schwanden die Worte seines Liedes, dann legte sich der Rhythmus, dann starben die Töne dahin und die Stille kam über ihn wie ein Schwindel. Er schloß die Augen, aber dennoch spürte er, wie das Licht sich gleichsam in ihn hineinsog und durch alle Nerven flimmerte, während die kühl berauschende Luft das sonderbar ergriffene Blut bei jedem Atemzug mit immer wilderer Kraft durch die in Machtlosigkeit bebenden Adern jagte; ihm war, als ob all das Wimmelnde, Berstende, Erzeugende in der Frühlingsnatur um ihn sich mystisch in ihm zu einem einzigen lauten, lauten Ruf zu sammeln suchte; und er dürstete nach diesem Ruf, lauschte, bis sein Lauschen in eine unklare, schwellende Sehnsucht überging“ (II, 92f.). Mit physiologischer Präzision wird hier zunächst der Zusammenhang des Menschen mit der Natur durch die Einwirkung des Lichts auf die Nerven und durch die Aufnahme der Luft in das Blut dargestellt, dann folgt das eigentliche Erlebnis der Frühlingsnatur, durch das Wort „mystisch“ und durch die Vorstellung des Rufens immer mehr in eine naturmystische Irrationalität hinüberführend, die dann schließlich das Ziel einer Sehnsucht wird, die wir unschwer als Niels Lyhnes Lebenssehnsucht wiedererkennen. Nicht nur das

Naturerlebnis, das wir in verwandter Form schon in ‚Mogens' vorfanden, sondern Niels Lyhnes Reflexionen im Anschluß daran sind das für ihn Charakteristische. Einerseits führen sie die Lebenssehnsucht weiter: „Würde es doch bloß über ihn kommen – das Leben, Liebe, Leidenschaft", andererseits wird dieser Wunsch von ihm sofort zurückgenommen: „Im Innersten fürchtete er sich doch vor diesem Mächtigen, das man Leidenschaft nannte. Dieser Sturmwind, der mit all dem Satten, all dem Autorisierten, all dem Erworbenen im Menschen davonwirbelte, als wären es welke Blätter! Er mochte es nicht. Diese tosende Flamme, die sich in ihrem eigenen Rauch verschwendete – nein – er wollte langsam brennen. – Und doch ..." (II, 94). Nicht nur die extreme Ambivalenz der Haltung, sondern vor allem das dahinter stehende Übermaß an Bewußtheit und Selbstbeobachtung, die ein jedes spontanes Handeln unmöglich machen, trennen Niels Lyhne von Marie Grubbe, der tatkräftigen, lebenshungrigen Frau des Barock, und lassen ihn als einen fernen Verwandten Sti Høgs erscheinen, der von Marie Grubbe verworfen und mit den Worten entlassen wurde: „Ihr hackt alles Holz des Lebens in Gedankenspäne auf." Niels Lyhnes „auf die Jagd Gehen nach sich selbst, seine eigenen Spuren schlau beobachtend – in einem Kreis natürlich" (II, 93), zeigt außerdem noch eine bemerkenswerte Affinität zu Kierkegaards Typ des Ästhetikers. Beiden gemeinsam ist die nicht unmittelbare, sondern reflektierte Sinnlichkeit: „Wie schön es ist, verliebt zu sein, wie interessant zu wissen, daß man es ist", räsonniert Kierkegaards „Verführer". Niels Lyhne ist weniger geistreich, aber genau so selbstbezogen und reflektierend: „Er liebte, er sagte es laut vor sich selber, daß er liebte. Viele Male. Es gab einen so seltsamen Klang in diesen Worten, und sie bedeuteten so viel" (II, 102). Diskret macht der Erzähler auf diese Eigentümlichkeit Niels Lyhnes aufmerksam, etwa so: „Wenn er sich vorstellte, daß er Frau Boye seine Liebe gestand, und er sollte sich nun einmal immer alles vorstellen ..." Im Unterschied zu Kierkegaards Ästhetiker genießt Niels Lyhne aber keineswegs sein Ich; er leidet vielmehr daran und schaut sehnsuchtsvoll zu den Tatmenschen hinüber: „Sie kamen ihm vor wie Kentauren, Mann und Pferd aus einem Guß, Gedanke und Sprung eins, ein Einziges, während er in Reiter und Pferd geteilt war, der Gedanke eins, der Sprung etwas ganz anderes“ (II, 107f.). Dieses Dilemma führt ihn aber nicht zum „Sprung“ – und schon gar nicht zum religiösen „Sprung“ in Kierkegaards Sinne dieses Wortes – sondern bewirkt vielmehr ein lähmendes „Handlungsfieber“, das ein nicht unwesentliches Element seiner Lebensproblematik bildet.

Niels Lyhne scheitert aber nicht nur an einer individualpsychologischen Veranlagung, auch nicht nur an der Folge davon, daß er historisch das Produkt einer Übergangszeit war, wie im Text mehrfach hervorgehoben wird. Der Roman versieht vielmehr die Werte selbst, an denen sich Niels Lyhne orientiert hatte, mit einem Fragezeichen: den Atheismus, wie wir schon gesehen haben, aber auch den Begriff des Lebens, mit dem der Atheismus im Roman eng verknüpft ist. Damit bröckelt Niels Lyhnes Existenzgrundlage. Bis zum Schluß war er von einer Lebenssehnsucht erfüllt gewesen, deren Voraussetzung, wie wir annehmen müssen, die Überzeugung war, daß das Leben es mit den Menschen gut meinte und daß die Partizipation am Leben zur Glückserfüllung des Menschen führen würde. Das „Leben“ hatte die vakante Stelle Gottes besetzt. Die Wildheit und Grausamkeit aber, mit der sich das Leben zu erkennen gibt, als es Niels Lyhnes Frau und Kind „tötet“, nimmt ihm die Lebensgläubigkeit, die noch das Schicksal Marie Grubbes getragen hatte. Dies und die für ihn nicht zu verwindende Tatsache, daß sich Gerda noch vor dem Sterben von ihm abgewandt hatte, führt ihn auf dem eigenen Sterbelager zur bitteren Erkenntnis: „Dies war das große Traurige, daß eine Seele immer einsam ist. Jeder Glaube an die Verschmelzung von Seele und Seele war eine Lüge.“ Mit dieser Bilanz schließt Niels Lyhne sein Leben, und Jacobsen hatte damit den jugendlichen Plan seines Atheistenromans erfüllt, dessen Ausgang schon in den frühen Notizbüchern 1867 lakonisch mit den Worten bezeichnet wurde: „Allein. Tod.“

Späte Erzählungen

Zwischen ‚Niels Lyhne' (1880) und Jacobsens Tod am 30. April 1885 wurden nur ein paar kurze Gedichte und drei Erzählungen von ihm veröffentlicht. Die fortgeschrittene Krankheit machte jedes größere Projekt unmöglich. Die drei Erzählungen, die wir im folgenden betrachten wollen, hat Jacobsen 1882 zusammen mit einigen früher erschienenen Novellen in dem Band ‚Mogens og andre Noveller' herausgegeben. Das war seine dritte und letzte Buchpublikation. Diese drei Erzählungen, so unterschiedlich sie auch sind, lassen nicht nur die charakteristischen Züge von Jacobsens Kunst und Weltanschauung mit besonderer Deutlichkeit hervortreten, sondern deuten an, wie sich seine Dichtung entwickelt hätte, falls ihm eine längere Schaffensperiode vergönnt gewesen wäre.

‚Die Pest in Bergamo'

In der dramatisch bewegten Erzählung ‚Die Pest in Bergamo' (1882) wird zunächst vom Wüten der Pest in der von der Umwelt abgeschnittenen norditalienischen Stadt Alt-Bergamo konzentriert und gerafft berichtet. Offensichtlich durch Boccaccios Andeutungen in der berühmten ‚Pest'-Einleitung seines ‚Decameron' angeregt, malt Jacobsen vor allem den sittlichen und moralischen Verfall der eingesperrten Bevölkerung drastisch aus. Das Menschenbild dieser Erzählung enthüllt sich schon nach wenigen Zeilen, als von den vergeblichen Fluchtversuchen einzelner Bürger die Rede ist: „Die Bauern ... schlugen sie ohne Gnade und Barmherzigkeit nieder wie tolle Hunde, in gerechter Notwehr, wie sie meinten." Unter dem Druck der ausweglosen Situation steigert sich das Entsetzen der Bürger bis zum Wahnsinn, und sie geben sich schließ-

Illustration von Gudmund Hentze zu der Erzählung ‚Die Pest in Bergamo'

lich maßlosen Gotteslästerungen und den „unnatürlichsten Lastern" hin. Der Verfall der mitmenschlichen Beziehungen wird besonders hervorgehoben: „Alles, was Hilfsbereitschaft oder Mitleid hieß, war aus den Gemütern verschwunden, jeder dachte nur an sich."

Dieser raffende Bericht wird in dem Moment durch eine unmittelbare szenische Darstellung abgelöst, als die Bürger den Einzug einer Schar von Flagellanten in die Stadt entdekken. Wie die Bürger treten auch die Flagellanten als eine anonyme, fast tierische Masse auf, ein Eindruck, der u. a. durch den „trippelnden, herdenartigen Laut ihrer nackten Füße" sowie durch die Menge der schwankenden schwarzen Kreuze, der roten Fahnen mit dem Bild eines Feuerregens und der blutbespritzten Peitschen hervorgerufen wird. Zwischen den beiden Menschenhaufen entsteht schnell eine von Wut und Hass genährte Spannung. Die Bürger empfinden die „heiligen" Flagellanten als eine provokative Mahnung und verhärten sich dagegen mit den gräßlichsten Gotteslästerungen, während die Herzen der Flagellanten „vor Haß und Rachedurst" kochen. Mit einem sicheren Blick für Massenhysterie und Massensuggestion hat Jacobsen hier das bedrohliche, unberechenbare Schwanken der Volksstimmung zwischen grotesker Komik und Lynchgelüsten gestaltet.

Ungeachtet der Verhöhnungen des Bürgerpöbels stimmen die Flagellanten in der Kirche ihr Miserere an, „das in jedem Ton wie ein Ruf nach jenem Feuer klang, das auf Sodom herabfiel." Die keuchende Extase ihrer darauf folgenden Selbstzerfleischung hat Jacobsen mit virtuoser Rhetorik verbalisiert: „Wild und rasend schlugen sie zu, sodaß das Blut in Tropfen an den pfeifenden Peitschen hing. Jeder Schlag war ein Gott dargebrachtes Opfer ... Dieser Körper, mit dem sie gegen Seine Gebote gesündigt hatten, er sollte gestraft, gemartert, vernichtet werden, damit Er sehen konnte, wie sie ihn haßten, damit Er sehen konnte, wie sie Hunde waren, um Ihm zu gefallen, geringer als Hunde unter Seinem Willen, das niedrigste Gewürm, das unter Seinen Fußsohlen Staub fraß ... Da lagen sie, Reihe an Reihe, mit wahnsinnfunkelnden Augen, mit

Schaumwolken vor dem Munde, mit dem Blut, das an ihrem Fleische herabrieselte." Von der Masse der ekstatischen Flagellanten springt auf einmal der Funke auf die Masse der Bürger, die jäh verstummen. Was die beiden Menschengruppen mit einander verbindet, ist der rauschhafte, selbstzerstörerische Wahnsinn. Von den Bürgern heißt es: „Dies packte sie; in ihren Gehirnen war ein kleiner Wahnsinnspunkt, der diese Tollheit verstand." Der Rausch der Selbsterniedrigung, um deren geheimen Wollustcharakter schon der junge Jacobsen so erstaunlich gut Bescheid wußte (siehe S. 41), vereint wie in einer coincidentia oppositorum die dionysisch ausschweifende Bürgerschar mit den asketischen Flagellanten.

Der Höhepunkt der Erzählung wird erreicht, als der Führer der Flagellanten, ein bleicher Mönch mit schwarzen Augen und schwarzer Kutte, in einer aufreizenden Predigt den Bürgern die unendlichen Qualen der Hölle verheißt. Hinter dem Verdammungsurteil des Mönchs steht eine totale Menschenverachtung, die im Werk Jacobsens nicht seinesgleichen hat. Noch einen letzten Augenblick genießt der Mönch, der die demagogischen Züge eines Volksverführers trägt, seine suggestive Macht über die Masse der gezähmten Bürger-Bestien – „in der Ekstase eines Augenblicks breitete er die Arme gen Himmel und lachte" –, bevor der singende Zug der Flagellanten Alt-Bergamo so verläßt, wie er gekommen war, mit roten „Feuerregen-Bannern" und „leeren, schwarzen Kreuzen."

Diese Erzählung weicht in mancher Hinsicht von Jacobsens früheren Werken ab. Stilistisch läßt sich dies z. B. an der neuartigen Verwendung der Farben beobachten. Die präzisierenden Farbnuancen sind nun durch einfache Farben wie rot und schwarz ersetzt, die in erster Linie einen symbolischen Aussagewert haben. Dadurch entsteht übrigens eine auffallende Ähnlichkeit mit der Pest-Erzählung ‚The Mask of the Red Death' des vom jungen Jacobsen eifrig gelesenen amerikanischen Erzählers Edgar Allan Poe. – Entsprechend hat sich hier Jacobsens Psychologie von der Darstellung und Analyse eines einzelnen Charakters auf die Masse, also vom Individuellen auf das Allgemeine, verlagert.

Fast experimentell versetzt Jacobsen in dieser Erzählung seine Figuren in eine existentielle Grenzsituation, in der sie mit einer besonders entsetzlichen Art von Tod und Untergang konfrontiert werden. Das Ergebnis war, wie wir sahen, niederschmetternd. Die Schichten der Zivilisation bröckelten ab, die Lust am Bösen und der brutalste Egoismus feierten Triumpfe. Die Triebwelt, die für Marie Grubbe noch das Fundament ihres Lebensglücks bedeutete, während ihr Niels Lyhne unentschlossen und passiv, zwischen Furcht und Sehnsucht schwankend, gegenüberstand, kehrt hier ausschließlich ihre destruktive Seite hervor. So wirkt ‚Die Pest in Bergamo' wie ein Memento und eine Absage an den dionysischen Trieb- und Lebenskult, der sich nach Nietzsche in der europäischen Literatur verbreiten sollte.

‚Frau Fönss'

Damit war aber Jacobsens letztes Wort über die Natur des Menschen und über die Beschaffenheit dessen, was man mit dem Wort „Leben" umschreiben kann, noch nicht gesprochen, denn unmittelbar danach wurde ‚Frau Fönss' geschrieben. Man kann sich kaum einen größeren Kontrast als diese beiden Erzählungen vorstellen. Die Titelfigur, Frau Fönss, eine fast vierzigjährige Witwe mit zwei erwachsenen Kindern, zeichnet sich durch Ruhe, Anmut und eine zugleich milde und sichere Würde aus. Da Jacobsen auch in dieser Erzählung die erlebte Rede ausgiebig verwendet, ein Stilmittel also, das bekanntlich die Worte und Gedanken der im Texte auftretenden Personen in die Sprache und den Stil des Erzählers eingehen läßt, so werden der Stil und der Geist dieser Erzählung durch klassische Einfachheit und anmutvolle Selbstbeherrschung bestimmt.

In ihrer Jugend hatte Frau Fönss wegen ungünstiger äußerer Verhältnisse auf ihren Geliebten verzichten müssen: „Da hatte sie den genommen, den man ihr gegeben, ihn, der Herr war über diese Verhältnisse . . . Es war alles viel besser geworden, als sie hatte erwarten können, viel lichter und leichter.“ Die ihr aufgezwungene Vernunftehe wird, wie man sieht, keineswegs als eine menschliche Tragödie bewertet, noch gibt sie zu polemischen Betrachtungen über Liebe und Ehe, über die Stellung der Frau in der bürgerlichen Gesellschaft und ähnlichem Anlaß, was einem Schriftsteller der naturalistischen Generation eigentlich zustehen würde. Nach wie vor interessiert sich Jacobsen nur wenig für die Probleme der Gesellschaft.

Nach dem Tode des Mannes lebte Frau Fönss vorwiegend ihren Kindern, nimmt aber auch am gesellschaftlichen Leben teil und ist, als wir sie kennenlernen, durchaus eine Dame der besseren Gesellschaft. In Avignon, wo sie sich zu Anfang der Erzählung mit ihren beiden Kindern aufhält, begegnet ihr durch Zufall der Jugendgeliebte, der die dazwischen liegenden Jahre in Amerika verbracht hat. Die nie völlig verstorbenen zärtlichen Gefühle werden beiderseits wach, und nach einer bewegten, gegenseitigen Liebeserklärung entschließt sich das reife Liebespaar zur Heirat.

Unmittelbar vorher, aber schon unter dem Einfluß der so lange unterdrückten Gefühle, befindet sich Frau Fönss allein im Lesekabinett des Hotels. Die folgende, für die äußere Handlung an sich überflüssige Szene ist geeignet, uns über Jacobsens Absicht mit dieser Novelle Klarheit zu verschaffen. Fast schwindlig geworden vor angenehmer, träumerischer Müdigkeit greift Frau Fönss nach einer schweren Bronzevase auf einer Konsole an der Wand: „Es war bequem, so zu stehen, und die Bronze war so angenehm kühl in der Hand. Aber wie sie so dastand, kam etwas anderes hinzu. Die plastisch schöne Stellung, in die sie versunken war, empfand sie immer mehr als eine Befriedigung für ihre Glieder, für ihren Körper, und das Bewußtsein, wie gut es sie kleidete, wie schön sie in diesem Moment war, sowie die rein körperliche Empfindung von Harmonie, das alles sammelte sich zu einem Gefühl von Triumpf, strömte durch sie wie ein seltsamer festlicher Jubel.“ Statuarisch in der Ausgangsposition, dem Fließen der Zeit momentan enthoben, belebt sich allmählich diese Frauengestalt wie eine zweite Galatea; unter dem unmittelbaren, zunächst unbewußten Eindruck sinnlichen und ästhetischen Wohlbehagens wird sie sich, völlig introvertiert, des eigenen Körpers und dessen Schönheit immer deutlicher bewußt, bis schließlich in ihr ein neues, bisher unbekanntes Lebensgefühl hervorbricht, das mit den Worten charakterisiert wird: „Und sie begeisterte sich über die Fülle des Lebens und sehnte sich danach mit dem Schwindel und dem Glühen eines Reisefiebers." In symbolischer Verdichtung zeigt diese Szene, wie sich Frau Fönss aus einer Dame der guten Gesellschaft in ein ursprünglicheres weibliches Wesen wandelt, das im unmittelbaren Rückgriff auf die elementare Vitalität ihres eigenen Selbst Anschluß gewinnt an bisher verschüttete Quellen der Natur. Es fällt auf, daß der Gegenstand ihrer Gefühle, der geliebte Mann, in ihren Träumen und Phantasien völlig abwesend ist. Was sich hier abspielt, scheint ausschließlich eine Angelegenheit zwischen der Frau und dem „Leben" zu sein. Was sie erlebt, ist Lebenssehnsucht und Partizipation am Leben zugleich, ein Einheitsgefühl an der Grenze des Mystisch-Metaphysischen wie Niels Lyhnes naturmystisches Frühlingserlebnis unter dem Einfluß der Liebe zu Frau Boye (vgl. S. 85 f.).

Wie Marie Grubbe gelingt auch Frau Fönss durch die Liebe die Selbstverwirklichung. Was dann folgt, der Konflikt und der endgültige Bruch mit den Kindern, die dem Verhalten der Mutter fassungslos und empört gegenüberstehen und ihr das Recht auf ein eigenes, von ihnen unabhängiges Liebesleben absprechen, dient in erster Linie der Profilierung dieser Frau, deren milde Festigkeit und liebevolle Illusionslosigkeit sie als eine Idealgestalt Jacobsens erscheinen lassen.

Nach fünf glücklichen Jahren, die nicht dargestellt, sondern nur summarisch erwähnt werden, schreibt Frau Fönss dann in der Todesstunde den berühmten Abschiedsbrief an ihre Kinder, mit dem die Erzählung ausklingt. Dieser Brief, der von den Freunden Jacobsens als ein Abschiedsbrief an sie aufgefaßt wurde, ist nicht nur ohne jede Bitterkeit, sondern vielmehr eine einzige Liebeserklärung an die Kinder und auch an „diese ganze schöne Welt, die nun so viele Jahre meine reiche gesegnete Heimat gewesen ist."

Mit dieser Erzählung hat der todkranke Jacobsen seine Lebensgläubigkeit noch einmal bestätigt und zur ‚Pest in Bergamo' ein positives, komplementäres Gegenstück geschaffen. Beiden Erzählungen gemeinsam ist die Freisetzung der Triebe und Leidenschaften. Was in der einen aber zum Wahnsinn führte und zur Zerstörung aller humanen Werte, bildet in der anderen die Voraussetzung einer vornehmen, wahrhaft menschlichen Lebenserfüllung. ‚Die Pest in Bergamo' zeigt eindeutig, daß Jacobsen die Leidenschaften und das Triebleben nicht einseitig verherrlichte, und daß er die mit diesem Bereich verbundenen Gefahren durchaus erkannte. Andererseits kommt in ‚Frau Fönss' seine Überzeugung zum Ausdruck, daß der Mensch ohne diese elementaren Naturkräfte vom wahren Leben ausgeschlossen bliebe, daß mit anderen Worten das Leben ohne diese Kräfte kein Leben wäre.

‚Es hätten Rosen da sein sollen'

Am 1. Januar 1882 wurde in der Zeitschrift ‚Ude og Hjemme' eine Erzählung von Jacobsen mit dem Titel ‚Aus dem Skizzenbuch' veröffentlicht. Im gleichen Jahr erschien sie auch in der vorhin genannten Sammlung ‚Mogens og andre Noveller', hier aber mit dem ersten Satz als Titel: ‚Es hätten Rosen da sein sollen'. Jacobsens Zeitgenossen (einschl. der Brüder Brandes) verurteilten sie als manieriert, dekadent und krankhaft. Erst spät hat man diese Erzählung als das gewürdigt, was sie tatsächlich ist, eine hochmoderne, artistisch raffinierte Arbeit, die außerdem den Bruch Jacobsens mit der Ästhetik des Realismus veranschaulicht.

Schon der konjunktivische Eingangssatz markiert den spielerisch-experimentellen Fiktionscharakter der Erzählung: „Es hätten Rosen da sein sollen". Gesprochen wird dieser Satz von einem Erzähler, der sich zwar nicht durch ein Ich zu erkennen gibt, der aber dennoch über die auktoriale Erzählsituation hinaus Gestalt gewinnt, indem er sich mit einem gewissen Wohlbehagen in einer Nische zwischen hohen Gartenmauern unweit von Rom auf die gut gewählte Bank setzt, von der aus

Illustration von Heinrich Vogeler zu ‚Es hätten Rosen da sein sollen'

er die nun folgenden fiktiven Auftritte seiner Phantasie dirigiert. Der zögernd-nachdenkliche Tonfall dieses Erzählers, der seinen lockeren Assoziationen folgt und sie mit Bemerkungen über die konkrete Situation begleitet, läßt in Umrissen die Physiognomie eines Menschen ahnen, der träumerisch, ein bißchen müde, nicht ohne Humor, ein Phantasiespiel betreibt, das er selber nicht ganz ernst nimmt, von dem aber dennoch eine gewisse Melancholie, eine gewisse Zärtlichkeit und vor allem ein unverkennbarer Sinn für Schönheitseffekte ausstrahlen. Von Anfang an baut er aus der ihn umgebenden Wirklichkeit seine Kulissen auf. Als souveräner Schöpfer verleiht er den einzelnen Teilen des ästhetischen Arrangements Form, Duft und Farbe: „Und laßt sie dann den feinen, vorüberziehenden Rosenduft haben, der nicht festzuhalten ist ...“; er bezweifelt sogar die Angemessenheit seiner eigenen Einfälle: „Oder sollten sie rot sein, die Rosen? – Vielleicht.“ Am Ende gebietet er diesen ernsten Scherzen Einhalt, indem er den Eingangssatz noch einmal wiederholt und spielerisch-lässig mit der die Erzählung abschließenden Schnörkel versieht: „Und dann könnte nun ein Windstoß kommen und einen ganzen Regen von Rosenblättern von den blumenschweren Zweigen herabschütteln und sie dem fortgegangenen Pagen nachwirbeln.“

Der überraschende, unregelmäßig sich wiederholende Wechsel zwischen verschiedenen Ebenen der Wirklichkeit und der Fiktionalität bestimmt die Struktur der Erzählung. Inmitten der Bilder und Betrachtungen richtet sich der Erzähler aber zielbewußt eine dramatische Szenerie ein. Dort, wo die Rosen hätten sein sollen, stellt er sich beispielsweise einen Balkon vor mit einem Gitterkorb, „aus herrlicher alter Schmiedearbeit“; gegen diesen Balkon, so fabuliert er weiter, haben sich Generationen von Männern und Frauen „wie ein Flug verirrter Tauben“ gepresst mit dem Sehnsuchtsruf: „Greift uns!“ an die „edlen Habichte ihrer Gedanken“.

Hier unterbricht der Erzähler auf einmal den Strom der Bilder und schaltet unvermittelt die Bemerkung ein: „Man könnte sich hier ein Proverbe denken. – Die Szenerie würde zu einem Proverbe gut passen.“ Der Erzähler-Regisseur ändert dann die ihn umgebende Wirklichkeit, bis sie seiner neuen Vorstellung entspricht: aus der Straße wird an dieser Stelle ein Rondell, in der Mitte entsteht ein Springbrunnen, auf dessen anderer Seite eine Bank; nur der Balkon und die Rosen werden vom vorigen Phantasiebild unverändert übernommen. Wie ein wählerischer Ästhet betrachtet der Erzähler schließlich sein Werk: „Der lose, weißgraue Staub, der rötliche, geformte Stein der Bank, der behauene, gelbliche, poröse Tuff, der dunkle, geschliffene, feuchtglänzende Porphyr und dann der lebendige, kleine, silbernzitternde Wasserstrahl: Stoffe und Farben machen sich wirklich gut.“ Hervorgezaubert ist nun eine intime Freilichtbühne, auf der sich die flüchtigen

Phantasiebilder des Erzählers zur comédie-proverbe verfestigen können.

Die Personen des Stückes, zwei Pagen, wegen ihrer Kleidung der Gelbe und der Blaue genannt, sprechen von den Frauen und von der Liebe. Der Blaue schwärmt: „Nein, es gibt nichts auf der Welt wie die Frauen! . . . ich versteh es nicht . . . es muß ein Zauber stecken in den Linien, in denen sie geschaffen sind.“ Der Gelbe versetzt sich einfühlend in die Lage des jüngeren blauen Pagen und malt genußreich und mit der ganzen Darstellungskraft von Jacobsens Wortkunst die Schönheit und zugleich die Unerreichbarkeit der vom Blauen so heiß ersehnten Geliebten aus. Bitter beklagt sich der Blaue über die ruhelose Jünglingsliebe, „die durch alle Lande der Ahnungen und alle Himmel der Hoffnungen rastlos flattert, krank vor Sehnsucht danach, in dem starken, innigen Glühen eines großen gesammelten Gefühls befriedigt zu werden.“ Der Gelbe dagegen warnt wehmütig davor, die „freie Ewigkeit der Träume“ mit einem Glück auszutauschen, „das man in Stunden messen kann und das in Stunden altert.“ Sehnsucht und Erfüllung stehen sich so als der jeweils glücklichere Zustand kontrastweise gegenüber. Einigkeit wird nicht erzielt, und schließlich schlendert der Blaue langsam die Straße zur Campagna hinunter, während sich die beiden Pagen gegenseitig zurufen: „Nein, du bist glücklich.“

Die Vieldeutigkeit dieser Erzählung, in der sich wie in einem Spiegelkabinett Illusion und Fiktion potenzieren, sodaß nichts ganz das ist, was es zu sein scheint, macht sich auch im kleinen Einakter geltend. Der Erzähler informiert uns, daß die beiden Pagenrollen von Frauen gespielt werden; der jüngere schmachtende Blaue von einer früher verheirateten, jetzt aber geschiedenen Schauspielerin, deren Kleidung „die jugendlich üppige Gestalt, das prachtvolle blonde Haar und den klaren Teint“ unterstreicht. Über die Schauspielerin in der Rolle des gelben Pagen weiß man dem Erzähler zufolge gar nichts; bemerkenswert an ihr sind allerdings „der linienstarke, männliche Hals“, die „kürassartige“ Tracht, das „höhnische und doch sehnsuchtsvolle Lächeln“ sowie die „weiche und etwas tiefe

Stimme", mit der sie vom Balkon herab zum Blauen ihre „erregenden und doch liebkosenden Worte" spricht.

Die auffallend maskulinen Elemente in der Charakteristik der „gelben" Schauspielerin sowie die ausgesprochen weiblichen Züge ihrer „blauen" Kollegin in Verbindung mit den liebkosenden Worten des Gelben an den Blauen laden unwillkürlich zu Spekulationen über die geschlechtliche Identität und über das – lesbische? – Verhältnis zwischen den beiden Schauspielerinnen ein. Aus den von ihnen gesprochenen Worten können wir allerdings keine Schlüsse ziehen, denn sie gehören zu den Rollen, sind also Teile des Proverbe-Textes. Als Privatpersonen, d.h. als Frauen sprechen sie überhaupt nicht. Das Vexierspiel um die Geschlechtsidentität wird außerdem dadurch noch verwirrender, daß der Erzähler von den beiden Pagen, bzw. von den beiden Schauspielerinnen, bald im Maskulinum bald im Femininum spricht, je nachdem ob er die Rolle des Pagen oder die Schauspielerin hinter der Rolle meint. Wie es mit diesen Frauen in den Pagenrollen eigentlich bestellt ist, können wir nicht wissen. Wir sollen es wohl auch nicht wissen können, denn Eindeutigkeit würde dem durchgehenden Unbestimmtheitscharakter dieses schwebenden Schönheitstraums widersprechen.

Was den Inhalt dieses Textes betrifft, so finden sich hier zweifellos Themen und Motive, die auch in anderen Werken Jacobsens eine wichtige Rolle spielen. Dies gilt vor allem für das Motiv der Sehnsucht, die durch die Natur, die Schönheit und die Liebe erregt wird und letztlich auf Lebenserfüllung und maximale Lebensintensität zielt. Wie andere inhaltliche Elemente auch wird dieses zentrale Motiv aber ins Ästhetische transformiert und Teil eines autonomen Formspiels, das offensichtlich nur sich selber will und nur sich selber meint. Das Thema der Erzählung scheint in erster Linie der Schaffensvorgang selbst und die Entstehung künstlerischer Bilder zu sein, die hier, als die Produkte eines beobachtenden und denkenden, vor allem aber eines mit Formsinn und Phantasie begabten Dichters erscheinen, der die Probleme des Daseins nicht lösen, sondern gestalten wollte.

Wie unbekümmert, ja fast provokativ Jacobsen in den letzten Jahren seines Lebens die ästhetischen Grundsätze des Realismus mißachtete, geht auch aus seinem letzten epischen Versuch, dem Fragment einer Erzählung von Doktor Faust, hervor. Das kleine Fragment enthält nur den Ritt der personifizierten Gestalten des Todes und der Liebe und ihre Ankunft beim 40-jährigen Doktor Faust. Was Jacobsen mit seinem ‚Faust' eigentlich beabsichtigte, wissen wir nicht. Die Tatsache allerdings, daß nicht Gott und Mephisto, sondern die Liebe und der Tod die beiden Mächte sind, mit denen Faust konfrontiert wird, könnte andeuten, daß Jacobsen zu dieser Dichtung nicht so sehr durch Goethe, sondern eher durch Lenaus Faust angeregt wurde, dessen Affinität zu Don Juan Søren Kierkegaard ausführlich dargelegt hatte.

Mit Sicherheit können wir aber trotz der Kürze des Fragments feststellen, daß Jacobsen den Weg forzusetzen gedachte, den er mit den hier behandelten späten Erzählungen eingeschlagen hatte. An Einzelheiten wie etwa dem symbolisierenden Gebrauch der Farbe schwarz und rot oder der auffallenden stilisierenden Wiederholung von Wörtern und Wendungen ließe sich diese Tendenz nachweisen. Wichtiger sind natürlich die Überwirklichkeit der Vorgänge und der mythische Charakter der Gestalten. Einen Eindruck davon sowie von der Wirkung, die Jacobsen dieser neuen Richtung seiner Kunst abzugewinnen verstand, können uns die letzten Zeilen des Fragments geben: „Und der Tod und Amor ritten vor das Fenster, unsichtbar wie sie waren, ohne einen Schatten zu werfen. – Und da hielten sie, größer als Menschen sind, und der Wind machte den schwarzen Mantel des Todes und das Purpur Amors flattern; und ihre großen Pferde streckten die Hälse durch das Fenster und hingen, halb im Schlafe, mit den Köpfen über Büchern und Pergamenten, an ihren Gebissen kauend, und der Schaum ihrer Mäuler troff flockenweise über schwarze Schriftlinien und farbenstarke Initialen hinunter."

Die eigentümliche innere Nähe dieses zugleich anschaulichen und überwirklichen Bildes zum traumhaften Bild der ihre Köpfe durch die Fenster steckenden Pferde in Kafkas Erzählung ‚Der Landarzt' ist für den literaturhistorischen Stellenwert dieses Fragments symptomatisch, ohne daß damit eine unmittelbare Übernahme des Bildes durch den Jacobsen-Bewunderer Kafka behauptet werden soll. – Der Märchenstil der Symbolisten und auch der Traumstil der späteren Surrealisten kündigen sich in den späten Erzählungen Jacobsens an. Dies ist nicht nur eine literaturhistorisch interessante Tatsache, sondern macht auch die Eigenart der deutschen und österreichischen Jacobsen-Rezeption verständlicher.

Die Gedichte

Daß Jacobsen auch Lyriker war – und seit der Kindheit ständig Verse schrieb –, war zunächst nur wenigen bekannt. Erst 1874 wurde ein Gedicht von ihm veröffentlicht und zwar in Vilhelm Møllers ephemeren ‚Fliegenden Blättern'. Wir wissen, daß Jacobsen 1875 und auch 1878 mit dem Gedanken umging, einen Band Lyrik herauszugeben, „jedoch nur Gedichte aus den letzten vier Jahren, meine jüngeren Produkte will ich nicht vorweisen", hieß es im Brief an den Verleger Hegel vom 25. April 1878. Übergroße Selbstkritik und nachlassende schöpferische Kraft ließen die Pläne scheitern, und so erschienen zu Jacobsens Lebzeiten nur ein paar Gedichte von ihm. Erst durch die von Edvard Brandes und Vilhelm Møller postum herausgegebene Auswahl ‚Digte og Udkast' (1886) konnte sich das Publikum vom Lyriker Jacobsen einen Eindruck bilden. Deutsche Übersetzungen folgten unmittelbar danach, am bekanntesten wohl die Übersetzungen Stefan Georges in den ‚Blättern für die Kunst' (1892/93), wichtig aber war auch der in Wien 1897 erschienene Band ‚Gedichte von Jens Peter Jacobsen. Aus dem Dänischen übersetzt von Robert F. Arnold'. Wenige Jahre später hat Arnold Schönberg die Übersetzung Arnolds als die textliche Vorlage für die ‚Gurre-Lieder' benutzt, durch die dieser Gedichtzyklus Jacobsens in den Konzertsälen Weltruhm erlangte.

Charakteristisch für die lyrischen Anfänge Jacobsens ist zunächst die große Abhängigkeit von der Tradition der dänischen Lyrik. Eigentlich hat er auch später nie gegen diese Tradition geschrieben, sondern vielmehr aus ihr die ihm eigene Selbständigkeit und Originalität entwickelt. Die Bemerkung im Brief an Georg Brandes (12. Februar 1878) von „dem Ansporn, den der Dünger der Traditionen für das Wachstum des Geistes bildet", hatte nicht zuletzt für das Verhältnis seiner eigenen Lyrik zur Tradition Gültigkeit. Was als unselbständige Abhängigkeit anfing, wandelte sich allmählich in eine souveräne ästhetische Verfügung über die Traditionen.

‚Gurre-Lieder'

Aufschlußreich auch in dieser Hinsicht sind die vorhin genannten, um 1869 entstandenen ‚Gurre-Lieder', deren Veröffentlichung Jacobsen zeitlebens gegen den Wunsch seiner Freunde ablehnte; so heißt es im Brief an Vodskov den 17. April 1877: „Was die ‚Gurre-Lieder' betrifft, fürchte ich, daß Du sie im verklärenden Schimmer einer wohlwollenden Erinnerung siehst. Es gibt allerdings in ihnen etwas vielleicht sogar sehr Gutes, aber teils ist das Beste in ihnen nur halbwegs gestaltet oder auch so barock geformt, daß ich sie bei meinem jungen „Ruhm" und fehlender Autorität nicht in die Welt zu schicken wage ...; was mich aber am meisten zurückhält, ist die Überzeugung, daß ich es heute besser machen kann." – So erschienen auch die ‚Gurre-Lieder' erst nach Jacobsens Tod in der Auswahl ‚Digte og Udkast' (1886).

Die Geschichte von der Liebe zwischen König Valdemar und Tove und vom eifersüchtigen Hass der Königin, der schließlich zur Ermordung Toves durch die Königin führte, gehörte seit dem Mittelalter zum historisch-nationalen Sagengut in Dänemark und sind in mehreren mittelalterlichen „Folkeviser" in verschiedenen Fassungen überliefert. Im Laufe der Jahrhunderte wurde der Stoff vielfach umgestaltet, manches wurde weggelassen, anderes hinzugefügt, so etwa die Ortsbestimmung (Gurre Schloss in Nordseeland) oder die Vorstellung von der „wilden Jagd" des auch nach dem Tode verzweifelt und ruhelos umherschweifenden Königs mit seinen Mannen. Nicht zuletzt die nachromantische dänische Literatur des 19. Jahrhunderts besaß eine besondere Vorliebe für diesen Sagenkreis, dessen volkstümliche Beliebtheit sich durch die 1835 teilweise ausgegrabene und unter Denkmalschutz gestellte Burgruine Gurre noch steigerte. Jacobsen hatte offensichtlich den Wunsch, sich von der Banalisierung und Trivialisierung des Stoffes nachdrücklich zu distanzieren, und so stellte er ursprünglich dem Gurre-Zyklus ein Gedicht voran, in dem die konventionellen Erwartungen des Publikums ironisch belächelt und verspottet wurden. Dieses später von Jacobsen gestrichene Einleitungsgedicht, das in ‚Digte og Udkast' für sich stand, in deutscher Sprache aber nie veröffentlicht wurde, fängt folgendermaßen an: „Es liegt ein Duft von Touristenlyrik/Wohl über den Wiesen von Gurre/Was hier der Mensch empfinden soll, weiß man genau/Durch die bekannten Lieder."

Warum sich der junge Jacobsen bei einer solchen Einstellung gerade diesem Thema zuwandte, wird durch einen kurzen Blick auf die literarische Tradition verständlicher. Vor allem Carsten Hauchs 1861 erschienenes Versepos ‚Valdemar Atterdag. Et romantisk Digt' ist in diesem Zusammenhang von Interesse. Der damals 70-jährige, von Georg Brandes hochgeschätzte Carsten Hauch hatte in seinem Epos Züge Valdemars hervorgehoben, die zwar in der Tradition schon angelegt, nie aber dermaßen stark akzentuiert worden waren. So gesteht bei Carsten Hauch der König freimütig, daß er an ein Leben nach dem Tode nicht glaubt, und seine leidenschaftliche Liebe zu Tove reißt ihn noch in der Todesstunde zu der wenig christlichen Äußerung hin, daß er auf den Himmel, falls es ihn gäbe, gern verzichten würde, wenn er bloß mit seiner Tove am Ufer des Gurresees leben dürfte. Unmittelbar danach folgen die beiden letzten Gedichte, ‚Die wilde Jagd' und das mit der Überschrift ‚Schluß' versehene Gedicht, in dem alles Gotteslästerliche zurückgenommen und in christlich-biedermeierlicher Harmonie aufgelöst wird. Bischof Erland betet hier für das Seelenheil des vor 30 Jahren verstorbenen Königs und meint plötzlich die vom Frühlingswind hergetragene Stimme des Königs zu vernehmen, der Gottes Gnade verkündigt und seine eigene Reumütigkeit bekennt. Zugleich eröffnet sich dem Bischof ein Blick auf das Jenseits, in dem „der Geist, wie eine Taube, über dem Strom des Todes schwebt."

Dieser tröstende Hinweis auf ein Leben nach dem Tode

mußte natürlich dem jungen Darwinisten Jacobsen unbefriedigend vorkommen. Sein Schlußgedicht, ‚Die wilde Jagd des Sommerwindes', in dem die Bewegung des Morgenwindes durch die sommerliche Landschaft die Linienführung des Gedichtes bestimmt, wirkt denn auch wie ein Gegenbild zu Hauchs Vorlage. Zwar fehlt auch ihm nicht die Vorstellung der Auferstehung, nur wird sie ohne jegliche Transzendenz als ein immanenter Vorgang innerhalb der Natur selbst dargestellt; nachdem der Sommerwind nach den schon vermoderten Frühlingsblumen vergeblich gesucht hat, findet er sie schließlich als die laubreichen Kronen der Bäume „opstanden" (auferstanden) wieder. Das darauf folgende, mythische Bild des Sonnenaufgangs, mit dem Jacobsens ‚Gurre-Lieder' ausklingen, stellt darüber hinaus einen schroffen Gegensatz zur nächtlichen, mondbeglänzten Jenseitsvision in Hauchs Versepos dar. – So scheint Hauchs Versepos den Blick Jacobsens für die ungenutzten Möglichkeiten einer modernen Behandlung des traditionsbeladenen Themas geschärft zu haben.

In der Gestaltung des Stoffes weicht Jacobsen außerdem dadurch von der Tradition ab, daß er auf die epische Darstellung einer kontinuierlichen Handlung zugunsten lyrisch-dramatischer Monologe und Situationsbilder verzichtet. Die Aussparung großer Teile der äußeren Handlung konnte Jacobsen sich erlauben, weil sie dem Publikum so vertraut war. Stattdessen konzentrierte sich Jacobsen vor allem um das, was ihm wichtig war: die Konstellation von Liebe und Tod, Natur und Gott.

Am Anfang und am Ende steht in den ‚Gurre-Liedern' die Natur. Sie zeigt sich in den stimmungsvollen Landschaftsbildern, ist aber wie in den Prosawerken Jacobsens vor allem als eine Kraft im Menschen da, von der die erotische Liebe ausgeht. Die beiden Mächte der Liebe und der Natur treten hier als die höchsten Werte des Daseins auf. Mit dem Gottesproblem werden sie vor allem dadurch verbunden, daß Gott von Anfang an, auch vor dem Tode Toves, für König Valdemar der gleichsam negative Bezugspunkt bleibt, mit dem er immer wieder, fast zwanghaft, sich und seine Liebe vergleicht, und gegen den er dann nach Toves Tod mit verzweifelten Anklagen anrennt. In Wirklichkeit fürchtet dieser Valdemar weder Gott noch den Teufel. Der eigentliche Gegner dieses modernen Menschen, der Feind, der ihm Angst und Verzweiflung einflößt, sind vielmehr die Zeit und die Vergänglichkeit, hinter denen der Tod steht.

Selbst auf dem Gipfel des höchsten Liebesglücks wird der König von der Vorstellung der fliehenden Zeit bedrängt. Am deutlichsten tritt dies in Valdemars zweitem Monolog des Abschnittes „Die Begegnung" hervor. Dieser Monolog besteht aus drei Teilen, von denen der erste und der dritte mit ihren Todes- und Vergänglichkeitsvisionen und mit dem zweimal wiederholten Vers: „Unsere Zeit ist vorbei", den vor Lebensfreude und Liebesglück überströmenden mittleren Teil: „Auf mich flutet, lebensschwellend, der glühende Purpurregen des Kusses", gleichsam umklammern. In dem unmittelbar darauf folgenden Monolog geht Tove, tröstend und beschwichtigend, auf Valdemars Todesangst und Vergänglichkeitsqual ein, indem sie auf die „Auferstehung" (auch hier wie im Schlußgedicht das Wort „opstå") eines Blickes als Händedruck, eines Händedrucks als Kuß und auf die zyklische Wiederkehr der Sterne im Rhythmus der Tageszeiten hinweist. Für Tove ergibt sich daraus ein Gefühl der Geborgenheit. Der Tod verliert für sie so sehr sein Grauen, daß sie den Augenblick des Sterbens mit dem „Sterben" eines Lächelns durch einen „seligen" Kuß vergleicht: „So laß uns die goldene/Schale leeren/Ihm, dem mächtig verschönernden Tod/Denn wir gehen zu Grab/Wie ein Lächeln, ersterbend/Im seligen Kuß." Eigentümlich ist die innere Nähe solcher Verse zu Richard Wagners ‚Tristan und Isolde', die ungefähr 10 Jahre vorher entstand: „Nun banne das Bangen/holder Tod/sehnend verlangter/Liebestod." Jacobsen hat sich über Wagner nie geäußert und hat sich wahrscheinlich für ihn nicht interessiert. Die Ähnlichkeit, die auch musikalisch durch die „Tristan"-Nähe der Schönbergschen Komposition vorhanden ist, scheint durch die geistesgeschichtliche Lage bedingt zu sein, in der sich Eros auf den durch Gottes Tod leer gewordenen Thron des Herrn über Leben und Tod – zeitweilig und versuchsweise – hinzusetzen wagte.

Auch die Form und der Sprachstil der ‚Gurrelieder' sind durch die Mischung von Traditionsabhängigkeit und Selbständigkeit charakterisiert. Handschriftliche Entwürfe lassen erkennen, daß Jacobsen ursprünglich den Stoff in der traditionellen Form einer volksliedähnlichen Strophik behandeln wollte. Stattdessen hat er sich für eine Vielfalt verschiedener strophischer und metrischer Formen entschlossen, die der Spannweite der Gefühle und Stimmungen in diesem Zyklus entsprechen. Unbekümmert greift Jacobsen dabei auf sprachliche Wendungen und stilistische Formeln der älteren dänischen Lyrik des 19. Jahrhunderts, der mittelalterlichen „Folkeviser" und sogar der Edda und der skaldischen Dichtung zurück. Im ‚Lied der Waldtaube' etwa wird das verdeckte Zitat eines Eddagedichts viermal wiederholt. Es steht hier im Dienste eines verhaltenen Staccato-Stils, in dem knapp, sprunghaft und in Andeutungen von der Ermordung Toves und von der Verzweiflung Valdemars berichtet wird. Ob gelungen oder nicht, das Gedicht zeigt Jacobsens schöpferisches Verhältnis zu den ästhetischen Traditionen und macht auch die artistisch kalkulierende Distanz deutlich, aus der heraus er selbst die leidenschaftlichsten lyrischen Partien schrieb.

Eine unmittelbare Gefühlsaussprache des Ichs, wie wir sie etwa von den sog. „Erlebnisgedichten" des jungen Goethe kennen, ist in Jacobsens Gedichten nur selten anzutreffen. Viel lieber schlüpfte er in die Rollen verschiedener Figuren, in den ‚Gurreliedern' nicht nur in die Valdemars und Toves, sondern auch in die der Waldtaube, des Bauern, des Narren und der Mannen Valdemars, oder er zeichnete ein Portrait, gestaltete eine Situation. Von Jacobsens Kunst, Seelisches und Emotionales durch Form und Bild objektivierend zu gestalten, war im Zusammenhang mit ‚Frau Marie Grubbe' die Rede (siehe S. 58). Diese Kunst war aber schon in den „Gurreliedern" voll entwickelt. Die Sehnsucht der Liebenden nach einander etwa, ihre kaum zu bändigende Ungeduld, wie sie erst in Valdemars, dann in Toves Eingangsmonolog thematisiert werden, gewinnen Gestalt, ohne daß die Gefühle unmittelbar, d. h. durch den Wortschatz der Innerlichkeit und Emotionalität, ausgesprochen werden. Valdemar spricht in seinem Monolog ausschließlich das Pferd an, auf dem er nach Gurre jagt. Durch Rhythmen und Klänge sowie durch eine virtuos gehandhabte impressionistische Technik: nicht der Reiter etwa jagt den Weg entlang, sondern der Weg „strömt" unter ihm dahin, drängt sich dem Leser die Aufregung Valdemars förmlich auf. Im Monolog der ihren Geliebten sehnsuchtsvoll erwartenden Tove wird Bild auf Bild gehäuft, sich subjektiv steigernd und schließlich in einer kühnen impressionistischen Perzeption gipfelnd: „Der Pfad, in stets sich nähernden Wogen/Wiegt den kühnen Reiter in Hafen/Und durch die folgende steigende Welle/Schleudert er ihn mir in die geöffneten Arme." Vor diesen sprachstilistischen Kühnheiten, denen meine wörtliche Übersetzung nicht gerecht wird, hat Robert F. Arnold nun völlig die Waffen gestreckt. In seiner vorher genannten, maßgeblichen deutschen Übersetzung sind diese Verse so glatt konventionell geworden, daß man sie kaum wiedererkennt, wenn man vom Original her kommt: „Höher und höher nun tragen die Stiegen/Meinen herrlichen Rittersmann/Bis ich mein Herz an das seine schmiegen/Und ihn zu Tode küssen kann."

Arabesken

In einigen der ‚Gurrelieder' hat Jacobsen zu der lyrischen Form gefunden, die ihm besonders lag, der sog. „Arabeske". Einige seiner bekanntesten Gedichte dieser Art sind gleichzeitig mit den ‚Gurreliedern' entstanden. Die äußeren Merkmale dieser Gedichtform lassen sich unschwer bestimmen: es handelt sich um verhältnismäßig lange, monologische Gedichte (ca. 50–100 Verszeilen), unregelmäßig gebaut, reimlos, unstrophisch, zwischen Beschreiben, Erzählen, lyrischen Ausrufen, Anreden und Fragen wechselnd. Um die Bezeichnung „Arabeske" zu rechtfertigen, die Jacobsen selbst für mehrere dieser Gedichte angewandt hat, bedarf es aber spezifischerer Kennzeichen. Der von Jacobsen bewunderte Edgar Allan Poe hatte zwar 1840 seine ‚Tales of the Grotesque und Arabesque' veröffentlicht und auch sonst das Wort im literarischen Zusammenhang benutzt. Vor ihm hatten bekanntlich auch die deutschen Romantiker, allen voran Friedrich Schlegel, Ähnliches getan. Bei Jacobsens leidenschaftlichem Interesse für die Malerei liegt aber die Vermutung nahe, daß er sich vor allem durch die kunsthistorische Anwendung des Wortes anregen ließ. Tatsächlich lassen sich zwischen Jacobsens „Arabesken" und dem, was man in den bildenden Künsten gewöhnlich darunter versteht, wesentliche strukturelle Übereinstimmungen feststellen, wie etwa die mannigfachen Wiederholungen, Verschlingungen und Überschneidungen, die Vorliebe für fortlaufende, manchmal in Metamorphosen übergehende Bilderreihen, ein Spiel von wellenförmigen, kurvigen Linien, die sich bald suchen, bald fliehen, um immer wieder neue Verbindungen miteinander einzugehen, so daß sich schließlich daraus „eine künstlich geordnete Verwirrung" ergibt, wie sich Fr. Schlegel ausdrückte.

Gerade in dieser lyrischen Form hat sich Jacobsens Interesse für seelische Grenzzustände und für ihre dichterische Gestaltung früh gezeigt. In der sog. ‚Pan'-Arabeske etwa gehen wie in einem halluzinatorischen Fiebertraum Liebe und Wahnsinn ineinander über; die ‚Ellen'-Arabeske ist eine regelrechte Wahnsinn-Studie von eindringlicher surrealer Symbolik; in ‚Monomanie' werden die Angstvorstellungen eines hinter eisernen Gittern eingesperrten Wahnsinnigen mit frenetischer Schärfe gestaltet.

Am berühmtesten unter Jacobsens „Arabesken", ja vielleicht unter seinen Gedichten überhaupt, ist die 1874 veröffentlichte ‚Arabeske. Zu einer Handzeichnung von Michelangelo. (Frauenprofil mit gesenktem Blick in den Uffizien.)' Stefan George übersetzte sie eigens für die ‚Blätter für die Kunst' (1892), und auch Rilke erprobte seine Dänisch-Kenntnisse an diesem Gedicht, das er 1913 in seiner eigenen Übersetzung veröffentlichte. Auf Dichter und Schriftsteller sind von dieser

Arabeske zahlreiche Anregungen ausgegangen, so etwa in Hjalmar Söderbergs schwedischem Roman ‚Den allvarsamma leken' (1912) und auch in Gottfried Benns Gedicht ‚Welle der Nacht'. Immer wieder haben dänische Literaturwissenschaftler und Kritiker daran ihr interpretatorisches Vermögen demonstriert. Hier allerdings soll nur auf ein paar charakteristische Züge des Gehalts und der Gestalt hingewiesen werden.

Schon in der ersten Zeile: „Griff die Woge Land?" wird das durchgehende, den Rhythmus und die Struktur des Gedichtes bestimmende Bild der Welle eingeführt; auf dem Höhepunkt der Brandung verwandelt die Welle sich in Wind, fliegt über die Blumen des Gartens gegen die weiße Villa mit den hohen Zypressen und stirbt schließlich „auf der Marmorwelle des Balkons". Die Motive der Welle und des Windes werden dann durch die fünfmal mit „Du" apostrophierte „Glühende Nacht" abgelöst, die auch als „gewaltige, blinde Mänade" angesprochen wird. Die Wellenbewegung aber setzt sich auch in der Bewegung der Nacht-Mänade fort: „Hervor durch das Dunkel blinken und schäumen/Seltsame Wogen von seltsamem Laut". Selbst der darauf folgende „Seufzer", durch den die orgiastischen Nachtbilder jäh beendet werden, führt insofern die Wellenbewegung weiter, als er „anschwillt und stirbt/stirbt um neu geboren zu werden"; ein letztes Mal kehrt das Bild dann als Metapher wieder: „Geschlecht auf Geschlecht in langen dunklen Wogen/rollt über die Erde/rollt und vergeht/indes die Zeit langsam stirbt." Am Ausgang des Gedichts steht schließlich das unbewegliche, schweigende, zur reinen Form erstarrte Frauenbild als Kontrast zu den vorhergehenden dynamischen Bewegungen: „Stumm und ruhig steht sie auf dem Balkon/Hat nicht Wort, nicht Seufzer, nicht Klage/Zeichnet dunkel sich ab von der dunklen Luft/Wie ein Schwert durchs Herz der Nacht."

Neben und zwischen den durch die Wellenbewegung miteinander verbundenen Bildern hört man die Stimme eines lyrischen Ichs, kommentierend und deutend wie der auktoriale Erzähler in Jacobsens Prosakunst (siehe S. 60 und 73). Charakteristisch sind etwa die folgenden Beispiele: Nachdem die in den glitzernden Sonnenschein bäumende Brandungswelle ihre „Wind“-Metamorphose durchgemacht und den Flug angefangen hat: „Flog auf breiten Schwanenflügeln/Durch der Sonne weißes Licht“, deutet das lyrische Ich sein trauriges Wissen um die Vergeblichkeit dieses in Schönheit geborenen, von Kraft getragenen Fluges an, der unweigerlich in Tod und Nacht verläuft: „Ich kenne deinen Flug, du fliegende Welle/ Aber der goldne Tag wird sinken ...“ Wie diese apollinischen Tagesbilder durch das „Aber“ jäh abgebrochen wurden, so auch die darauf folgenden dionysischen Nachtbilder („Mänade“ ist hier geradezu das Stichwort des Dionysischen): „Aber der Seufzer, glühende Nacht?“ Das „Aber“ stellt zwischen den Nachtbildern und dem „Seufzer“ einen Gegensatz her. Was der „Seufzer“ eigentlich beinhaltet, wird nicht ausdrücklich gesagt, aber unmittelbar nach dem Abbruch der Nachtbilder durch den Hinweis auf den „Seufzer“ folgt das Bild der Frau, deren Blick so ausgelegt wird, daß er unweigerlich wie eine Erläuterung des „Seufzers“ wirkt: „Heiliges Leid in deinem Blick/Leid, das Hilfe nicht kennt/Hoffnungsloses Leid/Brennendes, zweifelndes Leid.“ Mit den folgenden pessimistischen Fragen: „Wozu leben, wenn wir doch sterben sollen? ...“ versucht das deutende Ich die Gedanken der rätselhaften, stummen Frauengestalt zu erraten: „Ist dies dein Gedanke, hohe Frau?“ Sie aber bleibt wortlos, „äußert“ sich nur durch ihren Blick, vor allem aber auch dadurch daß sie auf dem Hintergrund des Nachtchaos als hohe, edle Form einfach da steht, „wie ein Schwert durch das Herz der Nacht.“ Das Leidvolle ihrer Erscheinung und der schwermütige Ton des Gedichts dürfen wir, im Rahmen der Textaussage, auf die Vergeblichkeit des apollinischen Strebens einerseits, auf die Ablehnung des triebhaft dionysischen Rausches andererseits zurückführen. Das zweimal wiederholte „Aber“ unterstreicht diesen doppelten Vorbehalt, der verschiedentlich variiert in anderen Werken Jacobsens wiederkehrt, bald als melancholisch-pessimistische Skepsis den menschlichen Glücksmöglichkeiten gegenüber, bald als die von Sehnsucht und Angst durchsetzte Weigerung, die eigene Individualität aufzugeben und sich selbstvergessen den elementaren, triebhaften Kräften des Lebens auszuliefern. Damit ist der Sinn der Michelangelo-Arabeske allerdings nicht ausgeschöpft, denn die Frauengestalt dieses Gedichts strahlt nicht nur Trauer aus, sondern verkörpert auch das Sieghafte der Schönheit und der Form, da das Schwert ja, mit dem sie verglichen wird, zugleich eine Form profiliert und eine Bedeutung beschwört.

Trotz ihrer relativ bescheidenen Anzahl sind Jacobsens Gedichte durch eine Vielfalt der Formen und Ausdrucksweisen charakterisiert, von der wir hier keinen angemessenen Eindruck vermitteln können. Immer wieder besticht bei Jacobsen die Wechselbeziehung von suggestiver Rhythmik und schöpferischer kühner Bildphantasie. Mit Recht wird in der neueren Jacobsen-Forschung darauf hingewiesen, daß Jacobsen als Lyriker manches vorweggenommen hat, was die spätere Lyrik der Moderne kennzeichnet. Vielleicht liegt es an diesen faszinierenden Elementen der Modernität in gewissen Gedichten von Jacobsen, daß sich seine Lyrik in diesen Jahren einer wachsenden internationalen Aufmerksamkeit erfreuen kann. So erschien 1986 eine italienische Übersetzung der Gedichte mit dem Titel ‚Arabesk. Antologia poetica curata da Alessandro Fambrini, con testo danese a fronte', Pisa; in der Serie Ombres, Toulouse, wurde kürzlich nach französischen Neuausgaben von ‚Niels Lyhne' (1984), ‚Marie Grubbe' (1986) und den Novellen ‚Mogens' (1987) auch ein Band Lyrik in französischer Übersetzung angekündigt; schließlich gab der Kopenhagener Verlag Reitzel voriges Jahr Jacobsens ‚Digte' neu heraus. So scheinen jetzt allmählich Jacobsens Gedichte aus dem Schatten des berühmteren Romans ‚Niels Lyhne' in das Licht einer größeren europäischen Öffentlichkeit zu treten.

Illustration von Wilhelm Müller-Schoenefeld zu ,Zwei Welten'

Wirkung und Rezeption in Deutschland und Österreich

Wie so viele andere skandinavische Dichter und Künstler in den letzten Dezennien des vorigen Jahrhunderts hat Jacobsen in Deutschland und Österreich einen Ruhm erlangt, der heute kaum vorstellbar ist. Persönlich hat er allerdings davon nichts verspürt, denn trotz mehrerer Übersetzungen und trotz der Bemühungen von Georg Brandes und anderen Kritikern in den 1870er und 1880er Jahren waren die Rezensionen seiner Werke zunächst kühl und der Verkauf mäßig. Der schlagartige Wandel dieser Lage läßt sich ziemlich genau datieren. Als Theodor Wolff, der spätere Redakteur des ,Berliner Tageblatt', der sich in seiner Jugend als Schüler von Georg Brandes verstand, im Jahre 1889 in Reclams Universal-Bibliothek ‚Niels-Lyhne' herausgab, stellte er in der Einleitung etwas mißmutig fest: „Seit dem ersten Debut Jacobsens in Deutschland sind 12 Jahre verflossen, und man hat bei uns den Namen des Dichters vergessen, wenn man ihn jemals gekannt hat." Diese Ausgabe wurde aber ein Erfolg und war nach sechs Jahren in mehr als 10000 Exemplaren verkauft. 1895 gab Theodor Wolff noch einmal den ‚Niels Lyhne' heraus, diesmal im Albert Langen Verlag und in einer sehr schönen Ausstattung, wie es dem veränderten Status des Romans entsprach. Nun heißt es: „Zum zweiten Mal kommt Niels Lyhne nach Deutschland. Er ist nicht mehr ein Fremder, wie damals, als er – im Jahre 89 – zuerst die Schwelle unseres Hauses betrat. Er findet froh winkende Freunde, preisende Jünger, und es fehlt nicht an den roten Blütengrüßen der Liebe und nicht an den glanzgrünen Kränzen des erhabenen Ruhms." Um diese Zeit erschienen mehrere Übersetzungen von Jacobsens Romanen und Novellen und, 1897, in Wien sogar ein schmaler Band ‚Gedichte von Jens Peter Jacobsen. Aus dem Dänischen übersetzt von Robert F. Arnold' (Pseudonym für den Wiener Philologen Levissohn). In dieser Ausgabe lernte Arnold Schönberg Jacobsens ‚Gurrelieder' kennen, die er dann im Frühjahr 1900 zu vertonen begann, nachdem sein Freund Alexander Zemlinsky unmittelbar vorher Musik für drei Gedichte Jacobsens komponiert hatte. Die Lyrik-Übersetzung Robert F. Arnolds wurde zwei Jahre später in der dreibändigen Prachtausgabe des Eugen Diederichs Verlags (Florenz/Leipzig 1898–99) aufgenommen, dessen dritter Band (‚Niels Lyhne') 1923 in 33000 Exemplaren verkauft worden war. Wenn man Neuauflagen, Teilsammlungen und einzelne Werkveröffentlichungen einrechnet, so sind nach dem ‚Gesamtverzeichnis des deutschsprachigen Schrifttums', München 1978 und 1982, nicht weniger als 130 deutsche Jacobsen-Ausgaben bis 1965 erschienen. Der Jacobsen-Erfolg war so auffallend, daß die literaturhistorische Gesellschaft in Bonn 1907 eine Sitzung der Frage widmete: „Weshalb hat Jacobsen in Deutschland diesen großen Einfluß gewonnen?", wie man in den ‚Mitteilungen der Literaturhistorischen Gesellschaft Bonn', Bd. 2, nachlesen kann.

Historisch bedeutsam war vor allem die Zeit um die Jahrhundertwende. Damals wurden die Weichen der Jacobsen-Rezeption gestellt, das deutsche und österreichische Jacobsen-Bild geprägt und die Übersetzungen gemacht, die z. T. immer noch nachgedruckt werden. Vor allem ging zu dieser Zeit von Jacobsen eine Wirkung aus, die man später vergeblich sucht. Marie Herzfelds Feststellung in der Einleitung der genannten Gesamtausgabe 1898, daß ‚Niels Lyhne' „eine Art Gebetbuch der jüngeren Maler und Poeten" geworden sei, wird vielfach bestätigt, u. a. von Stefan Zweig, der 1925, rückblickend, diesen Roman „den Werther unserer Generation" nannte und dann fortfuhr: „Wir haben unsere Gefühle daran geformt und unseren Stil ... Er war uns der Dichter der Dichter, und kaum könnte ich mit Worten ausdrücken, wie hingebungsvoll unsere fast backfischartige Überschwenglichkeit für ihn sich gegenseitig überbot." Etwas präziser drückte sich Stefan Großmann, der literarische Redakteur der ‚Vossischen Zeitung', aus, als er 1917 in der dänischen Zeitschrift ‚Tilskueren' schrieb: „Das erste und stärkste dänische Erlebnis der Deutschen hieß Jens Peter Jacobsen ... ‚Niels Lyhne' war für uns junge Leute nicht einfach der moderne Entwicklungsroman, er bedeutete mehr für uns: Er war unser Lehrbuch der Sensibilität ... Bei Jens Peter Jacobsen ist eine so vornehme, fatalistische Gelassenheit. Seine elegante Junggesellen-Melancholie mit einem Hauch Kränklichkeit und Hypochondrie wurde die weltmännische Geste einer Generation."

Angesichts der nicht unproblematischen Übersetzungen, die damals wie auch heute noch nur zum Teil der Sprachkunst Jacobsens gerecht werden, wirkt es überraschend, daß gerade der Stil und die Wortkunst dieses Dichters auf viele deutschsprachige Schriftsteller der damaligen Zeit einen so tiefen Eindruck machten. Stefan George etwa sah in Jacobsen vor allem „den größten dänischen stylisten" und veröffentlichte in eigener Übersetzung eine Anzahl Jacobsen-Gedichte in seiner exklusiven Zeitschrift ‚Blätter für die Kunst' (1892/93), wodurch Jacobsen nolens volens in den kulturpolitischen Kreuzzug des aristokratischen Schönheitspriesters gegen die nivellierenden Tendenzen der Zeit einbezogen wurde. Ganz im Sinne Georges, wenn auch ohne dessen nüchterne Strenge, wurden Jacobsens stilistische Qualitäten auch in der ‚Wiener Rundschau' (15. April 1897) gefeiert: „Mit ihm beginnt in den skandinavischen Literaturen jener vornehme Cultus des Wortes, vor dessen Adel wir jetzt den Hut ziehen müssen. Er verjüngte auch unsere deutsche Literatur. Und seit damals feiern wir die Auferstehung der Sprache, wie in der Malerei die Auferstehung der Farbe jetzt gefeiert wird." – Im Namen seiner Generation wagte Max Dauthendey (1867–1918) in den Lebenserinnerungen die Behauptung, daß ‚Niels Lyhne' „für eine ganze Reihe von jungen Schriftstellern der neunziger Jahre gleichsam als die Schöpfungsgeschichte einer neuen Schreibkunst galt." Persönlich bekannte er: „In meinen ersten Prosaversuchen hielt ich mich nicht an die alte Erzählungskunst der Klassiker, sondern an die neue Erzählungskunst, die mit Jacobsens ‚Niels Lyhne' mir zum erstenmal bekannt geworden war." Dieser neuen Kunst ging es nach Dauthendey vor allem darum, „künstlerisch Leben zu geben, vertieftes Weltsehen, das in den leisesten Bewegungen eines Blattes, eines Baumes, das im Summen einer Biene und in der Zeichnung eines Gesichts festliche Erlebnisse findet. In alles Weltalleben vertiefte sich mehr als in irgendeinem Jahrhundert diese neue Schreibart." Gottfried Benn, der lebenslang die tiefste Bewunderung und Zuneigung für Jacobsen hegte, meinte in dem frühen Dialog ‚Gespräch' (1910) das Geheimnis von Jacobsens Sprachkunst aus dessen naturwissenschaftlichen Voraussetzungen erklären zu können. Sie hätten ihm ein intimes und genaues Wissen von Dingen verschafft, „von denen andere nur den Namen wissen." So konnte Jacobsen nach Benn die konventionelle Sprache, „hergelaufene Worte, die blaß und matt und müde zu dir kommen", durch das ersetzen, was der junge Benn als das Ziel der Dichtung bezeichnete: „Feiner, flüchtiger, noch nie gesagter Dinge ... habhaft werden und sie so aufbewahren, daß sie den Schmelz nicht verlieren, den sie trugen, als sie zu uns kamen." 30 Jahre später fand Benn immer noch diese Qualität in den Werken Jacobsens vor, wie sein Brief an Oelze vom 17. Juli 1940 zeigt.

Die deutsche Jacobsen-Rezeption unterschied sich von der dänisch-skandinavischen vor allem dadurch, daß Jacobsen in Deutschland außerhalb des realistischen und naturalistischen Kontextes erlebt und gedeutet wurde, der in Dänemark durch die enge Verbindung Jacobsens mit den Brüder Brandes von vornherein gegeben war und von dem man sich dort erst spät und nur schwer zu lösen vermochte. Theodor Wolff erkannte die andersartige Entwicklung der deutschen Jacobsen-Rezeption früh und empörte sich darüber. Im Vorwort seiner ‚Niels Lyhne'-Ausgabe 1895 schrieb er: „Daher ist es auch nicht gerecht, wenn heute die Vertreter der symbolistischen Idee in Deutschland Jacobsen zu den Ihrigen zählen wollen." Wolffs Protest war aber wirkungslos, denn die schnell um sich greifende Jacobsen-Mode wurde tatsächlich gerade von den antinaturalistischen Strömungen bestimmt, die man in der Literaturgeschichte gewöhnlich mit Begriffen wie Symbolismus, Neuromantik, Jugendstil und Dekadenz bezeichnet.

Einige charakteristische Beispiele können diese Eigenart der deutschen Jacobsen-Rezeption verdeutlichen: Die Jacobsen-Übersetzerin Marie Herzfeld z. B., die zum engeren Freundeskreis um Hugo von Hofmannsthal gehörte, stellte in ihrem Buch ‚Die skandinavische Literatur und ihre Tendenzen' (1898) Jacobsens Werke zwischen die deutsche Romantik und den französischen Symbolismus: „Sie sind experimentelle Urbilder für das, war zehn, fünfzehn Jahre später die französischen Symbolisten versuchten und der gelungene Ausbau dessen, was Novalis gestammelt" (S. 18). – Ein ebenso einseitig neuromantisches Bild von Jacobsen vermittelte die Wiederentdeckerin der deutschen Romantik, Ricarda Huch, als sie 1898 im Monatsblatt der österreichischen Sezessionisten ‚Ver Sacrum' einen Aufsatz über „Moderne Poesie und Malerei" schrieb, in dem sie als einziges Beispiel aus der Welt der Literatur die Dichtung Jacobsens heranzog, um an diesem Beispiel das Phantastische und Märchenhafte zu preisen, das „wahrer als die Wirklichkeit" sei. So kann es nicht überraschen, daß Ricarda Huch in ihrem literaturhistorischen Hauptwerk ‚Die Romantik' (1899) Jacobsen als einen „modernen Romantiker" bezeichnete.

Die neuromantische Stilisierung läßt sich ebenfalls in den damaligen graphischen Illustrationen zu den Werken Jacobsens beobachten. – Besonders aufschlußreich ist in diesem Zusammenhang die vorhin erwähnte, reich dekorierte Ausgabe des Eugen Diederichs Verlags, der sich selbst unmittelbar nach der Gründung 1896 dem Publikum als den „führenden Verlag der Neuromantik" vorstellte. In der ersten Auflage wurden der erste und der dritte Band von Wilhelm Müller-Schoenefeld, der zweite Band von Heinrich Vogeler künstlerisch betreut. In allen späteren Auflagen war der zum schnellen Ruhm emporgestiegene Heinrich Vogeler für die künstlerische Ausstattung aller drei Bände allein verantwortlich. In haarfeinen Feder- und Nadelstichen breitet sich in den Jacobsen-Illustrationen des Worpswede-Künstlers die Stimmung einer versponnenen Zauberwelt aus, bald mittelalterlich kostümiert, häufiger aber in zeitloser, zierlich-sensibler Märchenhaftigkeit, wie wir sie auch in Vogelers Illustrationen zu Ricarda Huchs Märchenspiel ‚Dornröschen' finden.

Bedenklicher war allerdings Müller-Schoenefelds graphische Auslegung des Jacobsen-Textes, wenn er beispielsweise die Erzählung ‚Zwei Welten' mit dem Bild eines das Boot lenkenden, geflügelten Engels „bereicherte", für den es in der durchaus realistisch dargestellten Szene der Erzählung keine Vorlage gab (siehe die Illustration S. 113). Diese Tendenz, den Text Jacobsens ins märchenhaft Metaphysische umzubiegen und so im Bewußtsein des Publikums das neuromantische Jacobsen-Bild zu untermauern, findet sich auch in Rilkes Worpswede-Monographie aus dem Jahre 1902 wieder. Rilke versucht hier gelegentlich, Heinrich Vogelers Bilder mit Hilfe von Jacobsens Lyrik zu beschreiben und zieht dabei den Text Jacobsens in den märchenhaften Stimmungslyrismus Heinrich Vogelers hinein, ja spielt ihn sogar – wie Müller-Schönefeld –

Jacobsens Gedicht ‚Landschaft' gestaltet von Fidus *in der Zeitschrift ‚Simplicissimus' (1897)*

ins Metaphysische hinüber. So heißt es hier von Vogelers Blättern ‚Liebesfrühling' und ‚Minnetraum': „Die beiden jungen Menschen, die sich lieb haben, wissen es schon. Sie sitzen nebeneinander, still zusammengefügt wie Hand in Hand. Und hinter ihnen erklingt der Liebe Lied, von einem Engel auf hoher Harfe gespielt ... Und wenn sie weitergehen, so treten Engel in langen Kleidern hinter den Bäumen hervor und umgeben sie mit ihrem Gesang, und singen alles, so daß ihnen gar nichts mehr zu sagen übrig bleibt: „Wir müssen, Geliebteste, leise/hinschreiten, ich und du ..." Diese von Rilke ohne Verfasserangabe zitierten Verse bilden den Anfang von Jacobsens ‚Landschaft', einem Gedicht, das sich völlig auf sinnlich wahrnehmbare Qualitäten und Beobachtungen beschränkt und nicht zuletzt dadurch seine Aussagekraft gewinnt (siehe S. 119). Durch den Kontext, in den Rilke diese Verse versetzt, erleidet der „engellose" Jacobsen-Text, wie bei Müller-Schoenefeld, einen merklichen Verlust an Welt und Wirklichkeitsnähe und gerät stattdessen in die Nähe eines neuromantischen Jugendstils, was einem eklatanten Widerspruch zu Jacobsens Naturauffassung gleichkommt.

Wie wenig sich Rilkes Auffassung von Jacobsen zunächst vom modisch-sentimentalen Jacobsen-Kult der damaligen Zeit unterschied, bestätigt auch das handschriftlich eingetragene Gedicht in Rilkes eigenem Exemplar des Romans ‚Frau Marie Grubbe' (zweite Auflage von Strodtmanns Übersetzung 1896). Das Gedicht kommt auch in einem Brief Rilkes an N. M. Goudsticker den 25. April 1897 vor, muß also unmittelbar nach Rilkes erster Bekanntschaft mit Jacobsen entstanden sein. Es lautet so:

An Jens Peter Jacobsen

Er war ein einsamer Dichter,
ein blasser Mondpoet,
ein stiller Sturmverzichter,
vor dem die Sehnsucht lichter
als vor den Lauten geht.

Ein Weihen war sein Kranken.
Es sah versöhnt und ohne Gram,
wie früh ein Fremdes ihm die schlanken
Hände aus den Ranken
des Lebens lösen kam . . .

In diesem Portrait finden wir die damals charakteristischen Züge des Jacobsen-Bildes wieder: Einsamkeit, Stille, Sehnsucht und Krankheit bestimmen das Bild des blassen, verfeinerten Dichters, der mit stiller Resignation den Tod willkommen heißt. Die Krankheit wird zu etwas sakral Erhabenem aufgewertet, das Wort „Tod" als unzart diskret vermieden und mit dem Euphemismus „ein Fremdes" umschrieben. Der Sterbevorgang und der Verlauf der Krankheit werden poetisiert durch das Bild der schlanken Hände, deren Griff um die „Ranken des Lebens" gelöst wird.

Anderseits zeigt gerade das Beispiel Rilkes, wie sich aus einer schwärmerischen Jacobsen-Verehrung ein tieferes Verständnis und ein verbindlicheres Erlebnis entwickeln konnten. Rilkes Jahre in Worpswede, die Zeit also zwischen 1898 und der Abreise zu Rodin 1902, ließen sein Interesse für Jacobsen noch weiter anwachsen, wozu sicherlich auch die lebhafte Begeisterung der dortigen Künstler für den dänischen Dichter beigetragen hat. Heinrich Vogeler saß gerade an der Arbeit der Jacobsen-Illustrationen für die Ausgabe des Eugen Diederichs Verlags, Paula Modersohn-Beckers überschwenglicher Enthusiasmus kannte keine Grenzen, wie die Tagebuchaufzeichnung vom 6. März 1899 zeigen mag: „Ich fühle ihn, den Jacobsen in allen meinen Nerven, in den Handgelenken, den Fingerspitzen, den Lippen. Er überschauert mich. Ich lese physisch", und von Clara Westhoff, die Rilke 1901 heiratete, schrieb er am 12. Mai 1904 an Lou Andreas-Salomé, daß sie „Jacobsens Bücher so gut und liebevoll zu lesen weiß." So wird Rilkes Bemerkung in der Worpswede-Monographie verständlich, daß in diesem Kreis das Gespräch „ganz von selbst auf Jacobsen kam." – Rilkes damaliges Schwanken zwischen der noch nicht aufgegebenen Position einer märchenhaften

Neuromantik und einer neuen Wirklichkeitsauffassung unter Zurückdrängung des Subjektiven, Willkürlichen und Konventionellen bestimmte auch seine Auffassung von Jacobsen in diesen Jahren. Die Aufzeichnungen dieser Zeit lassen erkennen, daß sich Rilkes Verständnis für die künstlerische Eigenart Jacobsens und sein handwerkliches Können allmählich vertiefte.

In der Rilke-Forschung besteht darüber Einigkeit, daß Rilkes erster Aufenthalt bei Rodin in Paris 1902–1903 eine entscheidende Wende in seinem Welt- und Kunstverständnis bedeutete. Bei Rodin lernte er ein sachlicheres Schauen und ein neues Arbeitsethos kennen. Die Vermutung liegt nahe, daß Rodin damit Jacobsens Platz in Rilkes Bewußtsein übernommen und den dänischen Dichter allmählich daraus verdrängt hätte. So verhält es sich aber keineswegs. Eine Fülle von Belegen macht es vielmehr klar, daß Jacobsens Bedeutung für Rilke erst in den Jahren 1903 und 1904 ihren Gipfel erreichte. Für Rilke schienen sich Rodin und Jacobsen zu ergänzen, zu bestätigen und in gleicher Richtung zusammenzuwirken. Unmittelbar nach der Abreise von Paris heißt es z. B. im ‚Brief an einen jungen Dichter' (5. April 1903), nachdem Rilke gestanden hat, daß ihm eigentlich nur zwei Bücher unentbehrlich seien: die Bibel und „die Bücher des großen dänischen Dichters Jens Peter Jacobsen", die er beide mit sich führt, wo immer er auch sei: „Wenn ich sagen soll, von wem ich etwas über das Wesen des Schaffens, über seine Tiefe und Ewigkeit erführ, so sind es nur zwei Namen, die ich nennen kann: den Jacobsens, des großen, großen Dichters, und den Auguste Rodins, des Bildhauers, der seinesgleichen nicht hat unter allen Künstlern, die heute leben." Rodin und Jacobsen werden noch näher mit einander verbunden im Brief Rilkes an Lou Andreas-Salomé vom 12. Mai 1904: „Du glaubst nicht, wie notwendig Jacobsen mir geworden ist; auf immer neuen Wegen bin ich ... zu ihm gegangen; ja es ist sogar so, daß man, wenn man irgendwo im Wichtigen geht, sicher sein kann, an einer Stelle herauszukommen, wo auch er ist (wenn man weit genug geht); wie es auch seltsam zu erleben ist, daß seine und Rodins Worte oft bis zur Deckung genau übereinstimmen." Etwas genauer werden wir über den Hintergrund dieser Zusammenstellung in einem Brief Rilkes an Ellen Key vom 2. April 1904 unterrichtet: „Jacobsen und Rodin, mir sind es die beiden Unerschöpflichen, die Meister, die, welche machen können, was ich einmal können möchte. Beide haben dieses eindringliche, hingebungsvolle Schauen der Natur, beide die Macht, das Geschaute in tausendmal gesteigerte Wirklichkeit umzubilden. Beide haben Dinge gemacht, Dinge mit lauter sicheren Grenzen und unzähligen Überschneidungen und Profilen: so fühle ich ihre Kunst und ihren Einfluß."

Im Frühjahr 1904 hatte der Verleger Holitscher Rilke aufgefordert, eine Monographie über Jacobsen zu schreiben, eine Aufgabe, zu der sich Rilke bereit erklärte, „aber erst wenn ich dänisch alle seine Werke und Briefe lesen kann; erst wenn ich in Kopenhagen war, in Thisted und in Montreux", wie er am 16. März 1904 dem Verleger schrieb. Im Sommer 1904 arbeitete Rilke systematisch mit der dänischen Sprache, „täglich 3 oder 4 Stunden Leseversuche", und im Juli des gleichen Jahres fuhr er nach Kopenhagen, „um alle jene Studien zu machen, die eine persönliche Berührung mit Jacobsen ersetzen sollen." Rilkes Schwierigkeiten mit der dänischen Sprache waren aber größer, als er sie sich vorgestellt hatte: „Ich werde viel Plage mit der Sprache haben und wohl für lange hinaus in Vorarbeiten verloren gehen", schrieb er am 17. August an Holitscher im Hinblick auf die geplante Monographie. 1906 glaubte er immer noch an die Verwirklichung dieses Planes:" ... ein Jacobsen-Buch: ja, daß ich es einmal mache, ist sicher." Am 18. November 1910 aber schrieb er an Kippenberg, den Begründer und Besitzer des Inselverlags: „Ja, auf den Jacobsen verzichte ich nun endgültig, vor einigen Jahren wärs vielleicht noch gerade möglich gewesen."

Zwischen 1906 und 1910, dem Jahr des Abschlusses der Arbeit an den ‚Aufzeichnungen des Malte Laurids Brigge', gab Rilke also den Plan eines Jacobsen-Buches auf. Zugleich verlor Jacobsen – wie übrigens auch Rodin – seine prägende Wirkung auf Rilkes dichterisches Schaffen, ohne daß dies zunächst seine Verehrung für den dänischen Dichter minderte.

Die innere Loslösung Rilkes von Jacobsen erfolgte also in den Jahren der ‚Aufzeichnungen des Malte Laurids Brigge', wobei zu bedenken ist, daß dieser Roman im Jahre 1904, auf dem Höhepunkt von Rilkes Jacobsen-Begeisterung, angefangen wurde. Die Spuren Jacobsens sind denn auch in Rilkes Roman deutlich wahrnehmbar. Wie könnte es anders sein? Das Kopenhagener Stadtbild ist da und die „silberne dänische Sommernacht". Der Freund Maltes heißt wie der Freund Niels Lyhnes ‚Erik'. Das Schlüsselwort des Romans, der Tod, tritt sogar in der dänischen Form auf: „Döden, sagte er, Döden." Und wenn es von den Menschen in den großen Städten heißt: „Der Wunsch, einen eigenen Tod zu haben, wird immer seltener. Eine Weile noch, und er wird ebenso selten sein wie ein eigenes Leben", so muß man unwillkürlich an die Worte Marie Grubbes an Holberg denken: „Ich glaube, jeder Mensch lebt sein eigenes Leben und stirbt seinen eigenen Tod, das glaub ich." Rilkes Worte vom Tod des Kammerherrn Brigge: „Er starb seinen schweren Tod", klingen ebenfalls unverkennbar an den letzten Satz des ‚Niels Lyhne' an: „Und endlich starb er dann den Tod, den schweren Tod." – Trotzdem wäre es verfehlt, den Roman als Beispiel des Einflusses Jacobsens auf Rilke zu lesen. Dazu sind die Unterschiede zu augenfällig, und vor allem sind sie grundsätzlicher Art. Die Aufhebung der Schranken zwischen Äußerem und Innerem, Gegenwart und Vergangenheit, Leben und Tod in Rilkes Roman sowie die daraus folgende, surrealistisch anmutende Darstellungsweise deuten vielmehr auf die mystisch-transzendierende Idee des „Weltinnenraums" hin, die Rilkes spätere Dichtung bestimmte, und mit der Rilke ein für allemal die Schwelle überschritt, vor der Jacobsen stehengeblieben war. Rilkes ‚Aufzeichnungen des Malte Laurids Brigge' sind mit den Werken Jacobsens unvergleichbar, sie sind aber zugleich auch ohne die Werke des dänischen Dichters undenkbar.

Ein Schwerpunkt der Jacobsen-Rezeption lag in Wien, dessen junge Literaten und Künstler den antinaturalistischen Strömungen des Symbolismus, der Dekadenz und des Jugendstils besonders aufgeschlossen gegenüberstanden. Von Marie

Herzfeld, Robert F. Arnold, Stefan Grossmann, Stefan Zweig, Alexander Zemlinsky und Arnold Schönberg war schon die Rede. Es gibt aber kaum einen bedeutenden Wiener Schriftsteller der Jahrhundertwende, der von Jacobsen unbeeinflußt oder zumindest unberührt blieb.

Eine Verwendung ganz eigener Art fand Jacobsen beim jungen Arthur Schnitzler, der anscheindend das intellektuelle Niveau und den literarischen Bildungsgrad seiner Geliebten durch ‚Niels Lyhne' zu prüfen pflegte. Jedenfalls lesen wir in seinem Tagebuch von 1891 (IV, 12), daß er seine damalige Geliebte mit der Bemerkung zu „sekkiren" begann: „Niels Lyhne sei zu hoch für sie"; wenige Wochen später fiel dann das Urteil: „War ein bissel verstimmt über das kindische primitive literarische Urtheil (Niels Lyhne reizend, die Ausschmükkung etc.)." Ob die berühmte Schauspielerin Adele Sandrock ihrerseits einige Jahre später ihre Jacobsen-Prüfung bestanden hat, die in Schnitzlers autoritärer Aufforderung an sie im Brief vom 23. Januar 1894 versteckt lag: „Lies Niels Lyhne", wissen wir nicht, aber auch in diesem Fall ließe sich das Schlimmste befürchten.

Weniger einseitig ist unser Wissen über die Beschäftigung Hugo von Hofmannsthals mit Jacobsen. In Aufzeichnungen und Essays seit dem Jahre 1891 finden sich verstreute Anmerkungen über den dänischen Dichter, die uns ein Urteil erlauben über das, was Hofmannsthal an Jacobsen besonders interessierte. Hofmannsthals Beobachtung, daß Jacobsen nicht so sehr den Inhalt als vielmehr die Form des Seelenlebens darstellt, hatten wir schon für die Charakteristik des Romans ‚Frau Marie Grubbe' herangezogen (siehe S. 57), wobei uns auch die weiterführenden Bemerkungen eines anderen Österreichers, Robert Musil, Hilfe leisteten. Daß von Jacobsen unmittelbare Anregungen auf die damaligen Werke des jungen Hofmannsthal ausgingen, bezeugen die handschriftlichen Varianten und Notizen zum Dramenfragment ‚Der Tod des Tizian' (1892), in denen Hofmannsthal mehrfach Namen aus ‚Niels Lyhne' mit Namen aus dem ‚Tizian' zusammenstellte. In den Aufzeichnungen aus dem Jahre 1893 hebt Hofmannsthal die Phantasie und die Sensibilität als die für Jacobsens Figuren charakteristischen Eigenschaften hervor, die er als „vegetativ“ bezeichnet. Auf dieser Grundlage meint er in Jacobsens Werken eine unmittelbare Verwandtschaft zwischen Menschen und Pflanzen feststellen zu können: „Von allen Seeleneigenschaften die, die wir der Pflanze am leichtesten zuschreiben können, sind: Phantasie (stilles Träumen und Sehnen) und Sensibilität (Zusammenschauern, Sich-Ausdehnen, Sich-Zuneigen, Sich-Ranken). Das Pflanzenhafte: Lyhnes Starren in den goldenen Roggen in seltsamer vegetativer Ergriffenheit.“

Auf die in Jacobsens Werken zentrale Lebensproblematik ist Hofmannsthal besonders aufmerksam gewesen. Im Essay über ‚Die Menschen in Ibsens Dramen‘ (1893) deutet er den fehlenden Lebensanschluß der Figuren in Ibsens Dramen mit Hilfe von ‚Niels Lyhne‘: „Sie möchten im Leben untersinken, sie möchten, daß irgend etwas komme und sie stark forttrage und vergessen mache auf sich selbst. Es ist in ihnen ganz die Sehnsucht des Niels Lyhne“, worauf diese Bemerkung mit einem längeren Zitat aus Jacobsens Roman begründet wird. Gerade die Zerrissenheit zwischen narzisstischer Reflexion und vitalistischer Sehnsucht nach „Leben“ und „Natur“ war für den jungen Hofmannsthal ein zutiefst persönliches Problem, auf das er in seinen Essays über die zeitgenössische europäische Literatur immer wieder zurückkommt. Dies war wahrscheinlich auch der Grund, weshalb ihm sein Freund, der junge Leopold von Andrian, 1894 im Hinblick auf Jacobsen schreiben konnte: „Übrigens bis Du etwas verwandt mit ihm.“

Eine ähnliche Problematik findet sich bekanntlich auch bei Thomas Mann, in dessen ambivalentem Jugendwerk die Lebensflucht der Décadence, „die Sympathie mit dem Tode“, einerseits und die Lebenssehnsucht andererseits in wechselnden Konstellationen ständig miteinander konfrontiert werden. Auf die Frage nach seinem Verhältnis zur skandinavischen Literatur pflegte Thomas Mann auf die Bedeutung der großen Romane Kiellands und Jonas Lies für die ‚Buddenbrooks‘ hinzuweisen und auch Ibsen, Andersen, Herman Bang und Jacobsen freudlich zu erwähnen. In einem Brief vom 22. Mai 1951 an Victor Ford drückt er sich aber deutlicher aus. Nachdem er auch hier die „family chronicles and mercantile novels" von Kielland und Lie im Zusammenhang mit Lübeck und den ‚Buddenbrooks' respektvoll genannt hat, heißt es: „Jacobsen, of course, plays a special role. As a writer, he seems to me far above the aforementioned naturalists, and books like ‚Niels Lyhne' and ‚Frau Marie Grubbe', as well as his shorter novels, constitute a permanent part of my intellectual and artistic inventory." Bemerkenswert an dieser Äußerung ist vor allem die postulierte Reichweite des Jacobsen-Einflusses, „a special role" und „a permanent part" der künstlerischen und intellektuellen Ausstattung Thomas Manns. So aufschlußreich ein solches Bekenntnis auch ist, für den Nachweis konkreter Einflüsse Jacobsens auf das Werk Thomas Manns gibt es wenig her. Solche Einflüsse sind aber zweifellos da. Immer wieder wird man an Jacobsen erinnert, wenn man Thomas Manns Jugendwerke liest. Die konkreten Einflüsse überzeugend nachzuweisen, ist vor allem deshalb so schwierig, weil Thomas Mann die von Jacobsen empfangenen Anregungen in die Kombinatorik eines Beziehungsnetzes einführt, das das unverwechselbare Gepräge seines Verfassers trägt. Die sich daraus ergebende Verflechtung von Übereinstimmung und Verschiedenheit soll abschließend am Beispiel der Erzählung ‚Tonio Kröger' (1903) demonstriert werden:

Mit recht handfesten Mitteln hat Thomas Mann dafür gesorgt, daß die Aufmerksamkeit des Lesers auf die besondere Bedeutung Dänemarks für diese Erzählung gelenkt wird. Man braucht dabei nicht so sehr an Hans Hansens ‚dänische Matrosenmütze' oder an die etwas überraschende Charakteristik von Hamlet als einem dänischen Literaten zu denken. Wichtiger ist zweifellos die Reise Tonio Krögers nach Kopenhagen und Nordseeland. Man könnte sich ja fragen, warum denn Tonio nicht an der deutschen Ostseeküste blieb? In der Pension in Aalsgaarde erblickt Tonio junge Dänen und Däninnen vom gleichen Typ und mit der gleichen Symbolfunktion wie Hans Hansen, Ingeborg Holm und andere Gestalten aus der

Zeit der Kindheit. Wie Rilke läßt denn auch Thomas Mann dänische Worte in den deutschen Text einfließen: „O, mange tak“, sagt beispielsweise ein junges Fräulein zu Tonio Kröger.

Wichtiger als solche Züge ist natürlich die innere Nähe zu Jacobsens Werken. Die Titelfigur Tonio gehört zweifellos zu den vielen deutschen Nachfahren Niels Lyhnes. Beide sind sie introvertierte Künstlertypen, passive Beobachter und träumende Phantasten, schmerlich verliebt in das Leben, an dem sie nicht teilhaben können. Die Sehnsucht nach dem Leben und das Leiden am Leben haben sie gemeinsam. Übrigens auch die vorübergehende Befreiung von aller Lebensaktivität durch den Zustand einer fast mystischen Entrücktheit, die sich bei Tonio angesichts der Unendlichkeit des Meeres, bei Niels Lyhne angesichts der wogenden Kornfelder einstellt. Frappant ist die Ähnlichkeit in der Darstellung ihrer Kindheit. Niels Lyhnes Freundschaft mit Erik entspricht ganz der Freundschaft Tonios mit Hans Hansen. Wie Jacobsen von Niels lapidarisch feststellt: „schon vom ersten Tage an hatte er sich in Erik verliebt“, so heißt es bei Thomas Mann: „Die Sache war die, daß Tonio Hans Hansen liebte.“ Daß Erik „scheu und kühl nur widerstrebend und halb verachtend gerade eben nur duldete, sich lieben zu lassen“, trifft ebenfalls auch für Hans Hansen zu. In beiden Fällen liebt die Titelfigur im Freund das unerreichbare Gegenbild. Erik wird charakterisiert durch „seine klare, praktische Knabenvernunft in ihrer untadeligen Gesundheit“, er war, so heißt es bei Jacobsen, „frei von allem, was Träumerei oder Exaltation oder Phantastik hieß.“ Genau das Gleiche gilt für Hans Hansen und für Tonios Gefühle ihm gegenüber: „Er liebte ihn . . . weil er in allen Stücken als sein eigenes Widerspiel und Gegenteil erschien.“ Indem Erik und Hans so das von Niels und Tonio ersehnte Leben verkörpern, werden sie zu Vertretern oder, wenn man will, zu Symbolen des Lebens. Bei Jacobsen wird das nur angedeutet, etwa durch Niels Lyhnes „Bewunderung für die Offenheit und den Lebensmut, die in Erik waren, für dieses, daß er so daheim im Leben war und so bereit, zuzugreifen und zu nehmen.“ Thomas Mann geht in dieser Hinsicht weiter, seine Symbolik ist eindeutiger und konsequenter durchgeführt, so etwa wenn der im Dunkeln als ein ungeladener Gast stehende Tonio die Tanzenden in Aalsgaarde betrachtet und von draußen den Klängen des Festes lauscht, „des Lebens süßem, trivialem Dreitakt". Wie sich aus diesem Bezug auf das „Leben" verwandte symbolische Bilder ergeben können, zeigt auch die Stelle in ‚Frau Marie Grubbe', wo von der Furcht der jungen Frau die Rede ist, „daß ich niemals mehr die Gesundheit empfinge, um des Lebens Tür zu erzwingen, sondern müßte außerhalb stehen bleiben und des Festes Klängen lauschen, ungeladen und ungesucht, wie eine mißgeschaffene Magd" (I, 199).

Während so die Lebenssehnsucht und die Lebenssymbolik die Werke Jacobsens und Thomas Manns miteinander verbinden, unterscheiden sie sich auf der anderen Seite durch den unterschiedlichen Inhalt ihres Lebensbegriffs. Thomas Mann stand immer der biologisch-triebhaften Naturseite des Lebens skeptisch oder feindlich gegenüber. Wo das Leben, wie in ‚Tonio Kröger', von ihm verherrlicht wird, schwindet deshalb der semantische Bezug des Lebensbegriffs zur Triebwelt; das „Leben" wird stattdessen mit moralischen und soziologischen Kategorien definiert; in ‚Tonio Kröger' wird es beispielsweise mit dem Begriff der Bürgerlichkeit identifiziert. Für den Naturwissenschaftler und Darwinisten Jacobsen war dagegen Leben und triebhafte Natur unzertrennlich, wenn auch andererseits, wie wir gesehen haben, die ersehnte Lebensintensität nicht zu einem einseitigen vitalistischen Lebenskult führte. Durch die leidvolle Existenzerfahrung der Menschen in Jacobsens Werken verwandelt sich die Lebenssehnsucht oft in ihr Gegenteil, eine Sehnsucht nach der Aufhebung des Willens zum Leben; daher die zahlreichen Nirwana-ähnlichen Stimmungen und Zustände in Jacobsens Werken, denen in Thomas Manns Essays und Dichtungen die Neigung zur quietistischen Lebensflucht entspricht, im autobiographischen Essay ‚Süßer Schlaf' sogar mit dem Wort „Nirwana" bezeichnet. Diese Ambivalenz zwischen Lebenssehnsucht und Lebensflucht verbindet somit bei aller Verschiedenheit ihrer Lebensbegriffe den dänischen mit dem deutschen Dichter.

Die Spannung zwischen Dekadenz und Lebensverbundenheit verlieh zur Zeit des Fin de Siècle dem Werk Jacobsens eine besondere Aktualität, denn sie berührte den Lebensnerv der von den dekadenten Strömungen erfaßten deutschsprachigen Literatur. Als diese für die Jahrhundertwende charakteristische Konstellation von Dekadenz und Lebenskult ihre prägende Kraft verlor, war Jacobsens Rolle als Anreger der deutschen Literatur ausgespielt. Er wurde zwar in Deutschland nie ganz vergessen, wie die heute noch andauernde Fülle von Neuauflagen und Neuausgaben zeigt, ist aber in Deutschland und Österreich nie dem damals geprägten Bild entkommen, zu dem der Stimmungslyrismus, der Ästhetizismus und ein neuromantisch gefärbter Irrationalismus und Mystizismus gehören. Die einzelnen Bestandteile dieses Bildes sind zweifellos in Jacobsens Werken da; das Bild ist aber trotzdem einseitig, denn die Eigenart von Jacobsen liegt in der Spannung seines Werkes zwischen Realismus und Romantik, Naturalismus und Symbolismus, Positivismus und Irrationalismus, Atheismus und Naturmystik, Lebensverherrlichung und Lebensangst und vor allem in seiner Sprache, die im Original keineswegs so parfümiert ist, wie viele Übersetzungen vermuten lassen. Diese Komplexität ist historisch begründet, macht aber zugleich Jacobsen interessanter und sollte ihm im Zeitalter der Postmoderne die Aufmerksamkeit des Lesers sichern.

Auswahl der Forschungsliteratur

Baer, Lydia: Rilke and Jens Peter Jacobsen, in: PMLA 54, 1939, S. 900–933, 1133–1180.

Barfoed, Niels (ed.): Omkring Niels Lyhne, Kopenhagen 1970.

Bohnen, Klaus: Ein literarisches „Muster" für Thomas Mann. J. P. Jacobsens ‚Niels Lyhne' und ‚Der kleine Herr Friedemann', in: Litterature Et Culture Allemandes. Hommages à Henri Plard, Bruxelles 1985.

Bohnen, Klaus: Faszination und Verfall des Authentischen. Thomas Manns frühe Erzählungen in komparatistischer Sicht, in: Thomas Mann Jahrbuch, Band 1, Frankfurt/M 1988, S. 63–79.

Bohnen, Klaus: ‚Niels Lyhne' in Deutschland. Unveröffentlichter Briefwechsel zwischen Georg Brandes und Theodor Wolff, in: skandinavistik 9, Kiel 1979, S. 8–36.

Bruns, Alken: Übersetzung als Rezeption. Deutsche Übersetzer skandinavischer Literatur von 1860 bis 1900. Skandinavistische Studien, Band 8, Neumünster 1977.

Cercignani, Fausto e Lokrantz, Margherita Giordano (ed.): In Danimarca E Oltre. Per Il Centenario Di Jens Peter Jacobsen, Milano 1988.

Ebel, Uwe: Jens Peter Jacobsens Roman Niels Lyhne. Eine Entwicklung seiner Aktualität aus seinem historischen Stellenwert, Metelen 1988.

Ebel, Uwe: Kontinuität und Diskontinuität sprachkünstlerischer Gestaltung im Epochenwandel: Holberg – Sterne – Strindberg – Jacobsen, Frankfurt/M 1985.

Glienke, Bernhard: Jens Peter Jacobsens lyrische Dichtung. Skandinavistische Studien, Band 4, Neumünster 1975.

Heimann, Betty: Darstellung der Frau bei Jens Peter Jacobsen, Wertheim a. M. 1933.

Jansen, F. J. Billeskov (ed.): J. P. Jacobsens Spor I Ord, Billeder Og Toner, Kopenhagen 1985.

Jensen, Johan Fjord: Turgenjev i dansk åndsliv. Studier i dansk romankunst 1870–1900, Kopenhagen 1961, ²1969.

Jensen, Lyhne Niels: Jens Peter Jacobsen. Boston: Twayne Publishers, 1980.

Kohlschmidt, Werner: Georges Jacobsen-Übertragungen, in: Wissen aus Erfahrungen. Festschrift für Herman Meyer, Tübingen 1976, S. 576–590.

Kohlschmidt, Werner: Rilke und Jacobsen, in: W. K.: Rilke-Interpretationen, Lahr 1948, S. 8–36.

Lukács, Georg: Werke. Probleme des Realismus III. Der historische Roman, Berlin 1965.

Lukács, Georg: Die Theorie des Romans, Berlin 1920.

Lunding, Erik: Jens Peter Jacobsen [illegible] Wirkung und Wesen, in: Probleme des Erzählens in der Weltliteratur. Festschrift für Käte Hamburger, ed. Fritz Martini, Stuttgart 1971.

Maegaard, Jan: Præludier til musik af Arnold Schönberg, Kopenhagen 1976.

Müller-Seidel, Walter: Zwischen Darwinismus und Jens Peter Jacobsen. Zu den Anfängen Gottfried Benns, in: Fin de siècle: Text und Kontext, Sonderreihe, Band 20, Kopenhagen 1984, S. 147–171.

Nägele, Horst: J. P. Jacobsen, Stuttgart 1973 (Sammlung Metzler, Band 117).

Nielsen, Frederik: J. P. Jacobsen. Digteren og Mennesket, Kopenhagen 1953, ²1968.

Ottosen, Jørgen: J. P. Jacobsens ‚Mogens', Kopenhagen 1968.

Ottosen, Jørgen (ed): Omkring Fru Marie Grubbe, Kopenhagen 1972.

Pahuus, Mogens: J. P. Jacobsen. En eksistentiel fortolkning, Herning 1986.

Rehm, Walther: Jacobsen und die Schwermut, in: Experimentum Medietatis, München 1947, S. 184–239, – leicht verändert auch in: Gontscharow und Jacobsen, Göttingen 1963.

Ritzu, Merete Kjøller: Das Motiv des Nirwana bei Jens Peter Jacobsen, in: Orbis Litterarum, vol. 43, 1988, S. 153–166.

Ritzu, Merete Kjøller: L'alchimia della parola. I racconti di J. P. Jacobsen, Firenze 1982.

Schmidt-Wiegand, Ruth: Der burde have været Roser. Jens Peter Jacobsen und die Überwindung des Naturalismus in Deutschland, in: Beiträge zur deutschen und nordischen Literatur. Festgabe für Leopold Magon, Berlin (Ost) 1958, S. 359–376.

Sørensen, Bengt Algot: Dekadenz und Jacobsen-Rezeption in der deutschen Literatur der Jahrhundertwende, in: Horizonte. Festschrift für Herbert Lehnert, Tübingen 1990, S. 92–111.

Sørensen, Bengt Algot: J. P. Jacobsen und der Jugendstil. Zur Jacobsen-Rezeption in Deutschland und Österreich, in: Orbis Litterarum, vol. 33, 1978, S. 253–279.

Sørensen, Bengt Algot: Rilkes Bild von Jens Peter Jacobsen, in: Idee · Gestalt · Geschichte. Festschrift Klaus von See, Odense 1988, S. 513–532.

Tigerschiöld, Brita: J. P. Jacobsen och hans roman Niels Lyhne, Göteborg 1945.

Vosmar, Jørn: J. P. Jacobsens Digtning, Kopenhagen 1984.

Personenregister

Autorenbücher

Es liegen Bände vor über

Ilse Aichinger
Alfred Andersch
Ingeborg Bachmann
Gottfried Benn
Thomas Bernhard
Heinrich Böll
Volker Braun
Gottfried-August Bürger
Elias Canetti
Matthias Claudius
Heimito von Doderer
Alfred Döblin
Friedrich Dürrenmatt
Lion Feuchtwanger
Hubert Fichte
Marieluise Fleißer
Max Frisch
Franz Fühmann
Günter Grass
Max von der Grün
Peter Härtling
Peter Handke
Heinrich Heine
Georg Heym
Stefan Heym
Wolfgang Hildesheimer
Rolf Hochhuth
Henrik Ibsen
Jens Peter Jacobsen
Walter Jens
Uwe Johnson
Erich Kästner
Franz Kafka
Marieluise Kaschnitz
Walter Kempowski
Alexander Kluge
Wolfgang Koeppen
Franz Xaver Kroetz
Siegfied Lenz
Heiner Müller
Adolf Muschg
Hans Erich Nossack
Novalis
Ulrich Plenzdorf
Joseph Roth
Peter Rühmkorf
Nelly Sachs
Friedrich Schiller
Arno Schmidt
Anna Seghers
Adalbert Stifter
Georg Trakl
Kurt Tucholsky
Günter Wallraff
Martin Walser
Peter Weiss
Dieter Wellershoff
Gabriele Wohmann
Christa Wolf
Carl Zuckmayer

Weitere Bände in Vorbereitung